Een hele week feest

Rom Molemaker

Een hele week feest

Met tekeningen van Saskia Halfmouw

Van Holkema & Warendorf

Over Ruutje en Bennie zijn eerder verschenen:
Het blauwe huis
De hut van Noag
Glad ijs

NEDERLANDSE
KINDERJURY
2004

AVI-niveau: 6
ISBN 90 269 9685 3
NUR 282
© 2003 Uitgeverij Van Holkema & Warendorf,
Unieboek BV, Postbus 97, 3990 DB Houten

www.unieboek.nl

Tekst: Rom Molemaker
Illustraties: Saskia Halfmouw
Vormgeving binnenwerk: Toine Post
Opmaak: ZetSpiegel, Best

Inhoud

Wij doen de wilde dieren

De juf loopt voorop en groep vier komt erachteraan. De zon
schijnt en de vogeltjes fluiten. Het is een prachtige dag. Aan
de overkant van de straat loopt de postbode. Hij fluit ook.
'Tjongejonge!' roept hij naar de kinderen. 'Wat hebben jullie
een mooie juf!'
De kinderen kijken naar de juf. Die krijgt opeens een andere
kleur. Roodachtig.
'Poeh.' Ze steekt haar neus in de lucht en kijkt recht voor zich
uit.
Het is wél zo, denkt Ruutje. Hij heeft vanaf het begin al gevonden dat de juf mooi is. Ze heeft heel lieve ogen en mooi
haar. En als ze lacht, gaat overal het licht aan. Ruutje is verliefd
op haar, hij weet het zeker. Hij gaat naast haar lopen. Hij heeft
het gevoel dat de postbode hem dan ook een beetje bijzonder
vindt.
Ze gaan naar de gymzaal, honderd meter verderop. Elke dins-
dag en elke vrijdag hebben ze gym. Ze verheugen zich er bijna
allemaal op, elke keer. Alleen Henkie en Nadia vinden er niet
zoveel aan. Henkie niet, omdat hij erg veel kilo's van zichzelf
mee moet slepen. En Nadia niet, omdat ze zich alleen maar
prettig voelt als ze veilig op haar eigen stoel zit. Ze houdt niet
van die grote zaal met die rennende kinderen en al dat lawaai.
'Wat gaan we vandaag doen, juf?' vraagt Eelco.
'Gymmen,' zegt de juf.
De kinderen zuchtten. Echt weer zo'n schooljuffrouwengrapje.
'Paaltjesvoetbal,' zegt Bennie. 'Dát is leuk. Lekker knallen.'
'Hè, nee.' Merel trekt haar neus op. 'De jongens willen altijd
voetballen. En dan schoppen ze alle paaltjes door de zaal.'

7

'Heus niet,' zegt Bennie.

'Wel waar. Vorige keer nog. Toen kreeg ik er eentje tegen mijn knie.'

'Dat is waar,' zegt de juf. 'Jullie zijn veel te ruw met voetballen. Die arme meisjes worden er bang van.'

'Ik ook,' zegt Ruutje. 'Nou ja, niet echt bang natuurlijk.'

Ruutje en Bennie zien er precies hetzelfde uit, met hun rode piekhaar. Maar voor de rest zijn er echt wel verschillen. Ruutje zet bijvoorbeeld zijn paaltje altijd in een hoekje van de zaal en dan gaat hij ervoor staan, zodat ze er niet bij kunnen. En als ze erg hard gaan schieten, kan hij altijd nog opzij stappen. Zijn leven is belangrijker dan zijn paaltje.

Ze zijn bij de zaal. De kinderen trekken hun gymspullen aan.

'Ik hoop dat we klimrekken krijgen,' zegt Rachid. 'Wie het eerste boven is en dan weer naar beneden.'

'Ja,' zegt Bennie. 'Of vlechten. Door alle gaten.'

Henkie kijkt naar de juf. Niet door de gaten, denkt hij. Alsjeblieft niet door de gaten. Hij blijft altijd vastzitten. En hij heeft ook nog hoogtevrees. Laatst heeft de juf hem nog uit het rek moeten tillen. Dat was een heel werk.

Maar de juf schudt haar hoofd. 'Vandaag gaan we zwaaien,' zegt ze.

'Zwaaien?' vraagt Ruutje. 'Naar wie?'

'Niet naar wie,' lacht de juf. 'Jullie gaan zelf zwaaien.'

'Maar naar wie dan?' vraagt Ruutje weer.

De juf geeft het op. Ze kijkt om zich heen en ziet dat alle kinderen omgekleed zijn.

'Je zult het wel zien,' zegt ze. 'Gaan jullie maar naar de zaal. Netjes aan de kant zitten.'

Ze dringen naar de deur. Iedereen wil als eerste naar binnen. Alleen Nadia blijft nog even zitten. Al die drukte is niets voor haar. Daarom wacht ze liever tot ze allemaal weg zijn.

8

'Ze zijn binnen, Nadia,' zegt de juf, die bij de deur is blijven wachten. 'De kust is veilig.'

Terwijl ze op de banken zitten, gaat de juf de touwen klaar-hangen.
Henkie steekt zijn vinger op.
'Ik kan niet touwklimmen,' zegt hij.
'Dat hoeft ook niet.' De juf hangt de touwen stil. 'Ik zei toch dat we gingen zwaaien. Ik wil aan allebei de kanten een paar banken. Zetten jullie ze even neer?'
De banken zijn hartstikke zwaar, maar met veel gepuf en ge-steun lukt het.
'We gaan touwzwaaien naar de overkant,' zegt de juf. 'Kijk goed.' Ze pakt een touw en gaat op een bank staan. Ze springt omhoog en zo zwaait ze naar de overkant. 'Geen kunst aan,' zegt ze. 'Nu jullie.'
Ze halen het allemaal. Nadia heeft een eigen manier bedacht. Ze springt niet omhoog, maar stapt van de bank af en loopt met het touw in haar handen naar de bank aan de overkant.
'Vliegen is leuk, hoor,' zegt de juf. 'Probeer het maar. Goed het touw vasthouden.' Maar Nadia is er niet voor te porren.
'Nu gaan we heen en meteen weer terug.' De juf doet het weer voor.
Nadia loopt heen en weer en de anderen halen het ook. Hen-kie is nog niet geweest.
'Dat haal ik nooit,' zegt hij.
'Heus wel,' zegt Ruutje.
'Denk maar dat je een ballon bent,' zegt de juf. 'Die gaan altijd omhoog.'
Henkie gaat het proberen. Hij hangt als een zak aardappelen aan het touw en hij heeft een hoofd als een tomaat. De heen-weg gaat nog net, maar op de terugweg zakt hij langs het touw omlaag. Dan zit hij op zijn bolle billen tussen de banken in.

'Je was er bijna,' zegt Bennie.
'Ja,' zegt Ruutje. 'Alleen je ballon liep leeg.'
Na het touwzwaaien gaan ze jagerbal doen. Juf geeft de bal aan
Jin Li.
'O, nee,' kreunt Eelco. 'Niet Jin Li.'
Je zou het niet zeggen, maar Jin Li is kampioen jagerbal. Ze
kan snoeihard gooien, zo dun als ze is.
'Dekken!' roept Bennie. Ze rennen allemaal naar een verre
hoek van de zaal. Het helpt niet. Als ze allemaal op een kluitje staan te gillen, haalt Jin Li uit en gooit de bal als een streep
de hoek in. Zo is er altijd wel eentje raak. Een voor een worden
ze uitgeschakeld. Bennie wordt voor de verandering eerder geraakt dan Ruutje. Ruutje is meestal het eerst af, al weet de juf
nooit zeker of hij het nou is die geraakt is, of Bennie. Ze kan
ze niet uit elkaar houden. Twee precies dezelfde hoofden met
rode piekharen, en dan ook nog eens altijd dezelfde kleren

aan. Ruutje houdt het deze keer aardig lang vol. Dat komt omdat hij elke keer achter Henkie gaat staan. Maar als die geraakt wordt, is Ruutje onbeschermd en weerloos. Voor de schijn doet hij nog een poging om te ontsnappen. Hij springt zo'n beetje als een hertje heen en weer, maar dan is hij erbij. Jin Li raakt hem vol in zijn maag.

Ruutje laat zich op de grond zakken. 'Ik ga dood,' zegt hij. 'Mijn buik is eraf.'

Als ze teruglopen naar school, zijn ze een stuk rustiger dan op de heenweg. Het was een vermoeiende gymles.

'Ik val bijna in slaap,' zegt Bennie.

'Nou, nou,' zegt de juf. 'Worden jullie van één zo'n lesje al moe? Wat moet dat worden als jullie in het circus gaan spelen?'

Circus? Waar heeft ze het nu over? Ze kijken elkaar verbaasd aan.

'Wacht maar af,' zegt de juf geheimzinnig. 'Als we in de klas zijn, zal ik jullie eens iets vertellen.'

Iedereen is weer klaarwakker.

'Zeg het nou, juf,' zeggen ze. 'Komt er echt een circus? Hoeven we dan niet te rekenen?'

Ze worden er opgewonden van.

Alleen Nadia is ongerust. Wat hangt haar nu weer boven het hoofd? Zij wil juist wél rekenen. Ze is er erg goed in en ze kan er rustig bij blijven zitten. Ze begrijpt niet, waarom mensen steeds maar weer van die ingewikkelde dingen moeten bedenken.

In de klas zit iedereen op het puntje van de stoel. Ze zijn vreselijk benieuwd naar wat de juf gaat vertellen.

De juf hangt haar jas op het haakje naast de deur. Dan loopt ze op haar dooie gemak naar het raam en poetst een vlekje van de ruit. Ze schuift een paar planten heen en weer en dan gaat ze zitten. Ze pakt een multomap en bladert erin. De kinderen zijn doodstil en kijken allemaal strak naar alles wat de juf doet. Gaat ze nou eindelijk eens iets vertellen, of niet? De juf kijkt alleen maar in haar map. Bennie denkt dat hij gaat ontploffen van de spanning.

'Juf?' Merel steekt haar vinger op. 'Gaat u het nog vertellen?'

'Ja,' zegt Bennie. 'Alstublieft, juf. Ik word gek.'

'O ja.' De juf doet de map dicht. 'Dat is waar ook. Ik was het bijna vergeten.' Ze lacht.

Ruutje slaakt een diepe zucht. Zijn ze er weer eens in getrapt. De juf is wel heel erg lief, maar ze heeft soms van die stomme grapjes.

'Over een maand is het feest,' zegt de juf. 'Dan bestaat de school vijfentwintig jaar.'

Dat klinkt niet erg feestachtig, een school die vijfentwintig jaar bestaat.

'Is dat een feest?' vraagt Ruutje. 'Waarom?'

'Ja, dat vinden mensen leuk,' zegt de juf. 'Het is een mooi getal. Ze vieren ook feest als ze vijfentwintig jaar getrouwd zijn, bijvoorbeeld.'

'Ja.' Merel knikt enthousiast. 'Mijn oom was laatst ook vijfentwintig jaar getrouwd. Met mijn tante.'

'Zie je wel?' zegt de juf. 'En wij gaan op school ook feestvieren. Een hele week lang.'

Een hele week feest! Ze kijken de juf opgetogen aan.

'Wat gaan we dan doen?' vraagt Bennie.

'Van alles en nog wat,' zegt de juf. 'Dat vertel ik nog wel een keer. Maar in ieder geval gaan we met de hele school een circus maken. Elke groep heeft een onderdeel. Wij ook.'

'Acrobaten?' vraagt Henkie benauwd. Hij is wel eens naar een circus geweest. Er waren acrobaten die op elkaar klommen en over elkaar heen sprongen.

'Wij doen...' De juf wacht even. 'Zal ik het zeggen?'

'Oóóóh,' kreunen de kinderen. 'Zeg het nou, juf.'

'Wij doen de wilde dieren.' De juf kijkt de groep rond. 'Leuk?'
Ze vinden het fantastisch. Ze weten niet precies hoe je wilde
dieren moet doen, maar dat komt wel goed. Dat legt de juf nog
wel een keer uit.

'En er komt ook een vrijmarkt,' zegt de juf. 'Op het plein. Daar
kunnen kinderen gebruikt speelgoed verkopen. Of een oude
lamp van thuis. Zoiets.'

'O ja,' zegt Eelco. 'Net als op Koninginnedag.'

De rest van de middag komt er van leren niet veel meer. Ze
zijn veel te opgewonden door alle feestverhalen. De juf geeft
het ten slotte maar op.

'Ga maar iets voor jezelf doen,' zucht ze. 'Had ik het maar niet
verteld.'

'Ik denk dat ik een tijger word,' zegt Bennie, als ze naar huis
lopen. Ze zijn met zijn drieën: Ruutje, Janice en hijzelf. 'Wat
wil jij, Janice?'

'Ik weet het nog niet,' zegt Janice. 'Een ijsbeer?'

'Ha ha ha.' Ruutje stoot haar aan. 'Hoe kan dat nou? Jij bent
toch bruin?' Bennie lacht ook.

'Dus ik mag geen ijsbeer zijn, omdat ik bruin ben?' zegt Janice. 'Dat is gemeen.'

Ruutje schudt zijn hoofd. 'Waarom word je geen leeuw?'
vraagt hij.

'Die zijn geel,' zegt Janice kortaf. Ze is een beetje boos.

Ruutje heeft het niet in de gaten. Hij denkt na. Wat zal hij voor
een dier zijn?

'Ik vind een paard wel leuk,' zegt hij.

'Of een aap,' zegt Janice. 'Net iets voor jou.'

Ruutje kijkt opzij. Het lijkt wel of ze kwaad is. 'Wat is er?'
vraagt hij.

'Niks,' zegt Janice. 'Word jij maar lekker aap, ik word tóch ijsbeer.'

'Een woeste tijger,' zegt Bennie. 'En die gaat de dierentemmer opvreten.' Hij ziet het al helemaal voor zich.

Mama vindt het ook leuk, een feest op school.
'Dat hebben wij vroeger ook een keer gehad,' zegt ze. 'Alleen hadden we geen circus. Ik zou er bijna jaloers van worden.'
'Een hele week feest, toe maar,' zegt papa. 'Wordt er niet meer geleerd tegenwoordig?'
'Ja, hoor. Vanmorgen nog. De tafel van vier.' Ruutje begint hem meteen op te zeggen.
'Ik wil graag een tijger zijn,' zegt Bennie.
'Net iets voor jou,' zegt papa. 'Met die gevaarlijke tanden van je.'
'Vier keer vier is eh...' Ruutje is het even kwijt.
'Janice wil ijsbeer zijn,' zegt Bennie. 'Maar dat kan echt niet.'
'Waarom niet?' vraagt mama.
'Omdat ze bruin is natuurlijk.'
'Dan doet ze toch iets wits aan? Een deken of zo.'
'Heb jij al een tijgervel?' vraagt papa aan Bennie.
Bennie denkt na. Dat is natuurlijk zo. Hij kan wel zeggen dat hij een tijger wil zijn, maar hoe moet dat: er als een tijger uitzien? Dat zou wel eens net zo moeilijk kunnen zijn als een ijsbeer voor Janice. Misschien mag hij wel de dierentemmer zijn.
'Maar jullie hoeven toch niet allemaal verschillende dieren te zijn?' zegt papa. 'Hoeveel kinderen zitten er in de klas?'
'Veertig!' roept Ruutje trots. 'Zie je wel?'
'Heel goed, Ruutje.' Mama aait hem over zijn haar. 'Weet jij al wat voor dier je wilt zijn?'
'Nog niet precies,' zegt Ruutje. 'Misschien een lui paard.'

Een groene dief?

De vader van Merel gaat het hele feest op de video zetten. En als het lukt, kan iedereen een band kopen, met het hele programma erop.

'We worden beroemd,' zegt Bennie, als hij het hoort. Ze staan op het schoolplein met een groepje bij elkaar.

'Het komt niet echt op de televisie,' zegt Eelco. 'Het is alleen maar video.'

'Ja,' zegt Bennie, 'maar als ze bij jou de band afdraaien, zien ze mij ook. Dus dan ben ik bij jou thuis beroemd. En bij iedereen.'

'Maar als ik als paard ga, zien ze niet dat ik het ben,' zegt Ruutje.

'Paard?' vraagt Jin Li. 'Word jij paard?'

'Ja, paarden kunnen ook kunstjes doen, hoor.' Ruutje steekt zijn vinger in de lucht. 'Heel goed zelfs.'

'Wat dan?'

'Nou... rondjes lopen.'

'Lekker moeilijk, zeg,' zegt Jin Li.

'Of door een hoepel springen,' zegt Ruutje.

Het gesprek is meteen afgelopen. Ze komen niet meer bij van het lachen. Ze zien het voor zich: een paard dat door een hoepel springt.

'Het kan heus wel,' zegt Ruutje nog. 'Als het maar een grote hoepel is.'

De bel gaat. Met de tranen van het lachen nog in hun ogen gaan ze naar binnen.

Het is stil in de klas. Alle kinderen zijn ingespannen aan het werk: schrijfles. Het valt nog niet mee. Ze hoeven niks te ver-

zinnen of op te lossen, ze hoeven alleen maar over te schrijven. Maar dat vindt niet iedereen gemakkelijk.

Ruutje wel. Hij kan mooi schrijven, als hij goed zijn best doet. Nu ook weer. Hij schrijft het woord *geluk* op en hij wordt helemaal warm vanbinnen. Zo'n mooi woord heeft hij nog nooit gemaakt. Hij steekt zijn vinger op en de juf komt naar zijn tafel.

'Wat is er?' vraagt ze.

'Kijk, juf,' zegt Ruutje. Hij wijst naar zijn schrift. 'Zo mooi.'

'Fantastisch.' De juf legt haar hand op Ruutjes schouder. 'Echt fantastisch.' Ze kijken allebei naar het woord.

'Dát is nou geluk,' zegt de juf.

Natuurlijk is dat geluk, denkt Ruutje. Hij heeft het zelf net opgeschreven.

'Echt goed, hoor.' De juf loopt weer verder.

Bennie heeft er meer moeite mee. Hij heeft geen geduld. Als hij halverwege een woord is, denkt hij al aan het eind. Of aan het volgende woord. Of aan het speelkwartier. Aan wat ze gaan spelen op het plein.

Bennie zucht. Het woord *geloof* is omlaag gezakt en hangt met een paar kromme lusjes zielig onder aan de regel. Hij wilde wel rechtdoor schrijven, maar zijn hand ging de verkeerde kant op.

Hij kijkt uit het raam. Het plein is leeg en stil. Of nee, er loopt een man. Bennie kent hem niet. De man heeft een blauw petje op. Hij loopt dwars het plein over en verdwijnt dan om de hoek bij het fietsenhok. Zeker een werkman die iets komt repareren. Bennie gaat weer verder met schrijven. *Gebak*, ook wel lekker.

'Die lijntjes zijn er niet voor niets, hoor.' De juf is achter hem komen staan.

'Het gaat niet,' zegt Bennie ongelukkig. 'Het lukt gewoon niet.'

'Je wilt te snel,' zegt de juf. 'Je hoofd moet bedenken wát je schrijft, en je hand moet het opschrijven. Die moeten samen-werken. Bij jou gaan ze allebei een andere kant op.'

Ja ja, denkt Bennie. De juf kan het zo leuk zeggen. Die hoeft het zelf niet te doen.

Stomme letters. Hij kijkt weer uit het raam. Nog tien minuten, en dan is het speelkwartier. Daar is die man ook weer. Hij fietst het plein af. Je mág niet eens fietsen op het plein. Ben-nie wilde dat hij ook een groot mens was. Dan hoefde hij niet te schrijven en dan kon hij doen wat hij zelf wilde. Typen, op het plein fietsen, in zijn neus peuteren, of wat dan ook.

Van de tien minuten is er nog maar één om. Het lijkt wel of iemand de tijd tegenhoudt. Het laatste woord: *geweld.* De *ge* gaat goed en de *w* ook. Maar opeens schiet Bennie te binnen dat hij nog aan de juf moet vragen of hij dierentemmer mag zijn. En dan storten de laatste drie letters weer als een slap puddinkje in elkaar. Hij kreunt zachtjes. Stomme rotschrijfles.

Aan alles komt een eind, ook aan de laatste tien minuten tot aan het speelkwartier. Eindelijk kunnen ze naar buiten. Het liefst zou Bennie met drie treden tegelijk de trap afspringen, maar dat kan niet. De juf gaat mee tot aan de deur. Ze lopen rustig achter haar aan, terwijl ze in gedachten al aan het ren-nen zijn.

'Hé,' zegt de juf, als ze bij de deur staat, 'het fietsenhok is open.' Ze laat de kinderen naar buiten en loopt er meteen naartoe. 'Gelukkig, hij staat er nog,' zegt ze opgelucht.

Op het moment dat ze de deur van het hok wil dichtdoen, komt groep acht naar buiten. De meester staat bij de deur.

'Heb jij het fietsenhok opengedaan?' vraagt de juf.

'Nee, natuurlijk niet,' zegt de meester van groep acht. 'Waar-om zou ik dat doen?'

Hij kijkt ook bij het hok naarbinnen en zegt dan een erg lelijk woord.

'Zachtjes, Co,' zegt de juf. 'Denk aan de kinderen.'

'Mijn fiets!' roept meester Co. 'Mijn fiets is gestolen!' Nog een lelijk woord, een stuk lelijker zelfs dan het eerste. 'Welke sukkel heeft dat hok opengelaten?'

Eelco heeft gehoord wat de meester zei. 'Is uw fiets echt waar gestolen?' vraagt hij.

'Ja!' schreeuwt meester Co. 'Een of andere kluns heeft het hok niet op slot gedaan.'

'Fietsendieven!' roept Eelco over het plein. Het duurt maar even voordat er een hele kluit kinderen bij het hok staat.

'Waar zijn ze dan?' vraagt Ruutje.

'Jij dacht zeker dat die hier op ons zouden blijven wachten,' zegt de juf. 'Die zijn er al vandoor.'

'Die vinden we nooit meer terug,' zegt meester Co treurig.

'Wij gaan wel zoeken.' Eelco springt opgewonden op en neer. 'We gaan hem opspeuren, meester.'

'Maar hoe ziet hij er dan uit?' vraagt Ruutje.

'Groen,' zegt meester Co.

'Groen?' Ruutje kijkt hem vragend aan. 'Een groene dief?'

'Nee, mijn fiets, stommerd.'

'Nou, nou,' zegt de juf. 'Ze willen alleen maar helpen.'

'Ja, sorry.' Meester Co legt even zijn hand op Ruutjes schouder. 'Ik ben helemaal van slag.'

'Niemand weet natuurlijk hoe de dief eruitziet,' zegt Boris uit groep acht.

'Nee.' Meester Co schopt boos tegen de deur van het fietsenhok. 'Dat is zo.'

'Hij heeft een blauw petje op,' zegt Bennie opeens, 'en een zwarte jas aan.'

'Nee, Bennie,' zegt de juf, 'het is nu geen tijd voor grapjes.' Ze kijkt een beetje angstig naar de meester.

'Maar het is echt waar,' zegt Bennie. 'Ik heb hem zelf gezien.'

'Je zat toch in de klas?' De juf kijkt hem vragend aan. 'Hoe kan dat nou?'

'Ik keek uit het raam,' zegt Bennie. 'Het ging niet goed met gebak.'

'Gebak?' Meester Co snapt het niet.

'De lus ging scheef. En toen keek ik naar buiten.'

'En toen zag je de dief,' zegt de juf.

'Ja, hij liep over het plein. En na een tijdje kwam hij weer terug.'

'En heb je al die tijd uit het raam zitten kijken?' De juf kijkt een beetje nijdig.

'Heus niet,' zegt Bennie. 'Maar het volgende woord mislukte ook. En toen ik weer naar buiten keek, ging die man weg. Op de fiets.'

'Op die van mij!' Er knalt nog een lelijk woord over het plein.

'Co!' zegt de juf boos. 'Pas een beetje op je woorden.'

'Ja, sorry. Er zat er nog een in,' zegt meester Co. Hij kijkt Bennie aan. 'Dus hij had een blauw petje op?' vraagt hij.
'En een zwarte jas aan,' zegt Bennie.
'U moet de politie bellen, meester,' zegt Boris. 'Misschien komen ze hem nog tegen op straat.'
'Je hebt gelijk.' Meester Co rent naar binnen.
De kinderen kijken allemaal naar Bennie. Het lijkt wel of hij iets heel bijzonders heeft gedaan.
'Dus jij hebt een dief gezien,' zegt Ruutje. 'Was het eng?'
'Nee,' zegt Bennie. 'Het was een gewone man. Op een fiets.'
'Kom op,' zegt Eelco. 'We gaan zoeken.' Hij wil al naar het hek gaan.
'O nee, daar komt niets van in.' De juf pakt hem bij zijn arm. 'Laat dat maar aan de politie over. Jullie blijven op het plein.'
'We gaan bij het hek staan,' zegt Bennie. 'En als hij dan langskomt, springen we op zijn nek.'
'Je doet maar,' zegt de juf. 'Maar die komt echt niet langs. Die is allang een heel eind de andere kant op.'

Bennie gaat toch naar het hek. Eelco, Merel en Ruutje gaan met hem mee. De anderen gaan liever nog even knikkeren.

'Als je een blauw petje ziet, moet je roepen.' Bennie leunt over het hek en kijkt de straat in.

'Wat moet ik dan roepen?' vraagt Merel.

'Dan moet je roepen: "Een blauw petje!"' zegt Ruutje. 'En dan springen we op zijn nek.'

Ze zetten zich schrap en kijken allebei de kanten op. Maar de enige die langskomt, is een man met een hond en zonder fiets. Hij heeft trouwens helemaal geen petje op.

Dan gaat de bel. Ze kijken nog één keer, maar de straat is leeg.

'Niet gezien,' zegt Bennie tegen de juf, als ze bij de deur zijn. 'Hij is weg.'

'Bedankt voor de hulp,' zegt de juf. 'Ik zal het tegen de meester zeggen.'

Dat had ik ze ook wel kunnen vertellen

Na het speelkwartier gaan ze voor zichzelf lezen. Ze hebben allemaal hun boek voor zich en het is stil in de klas.

De deur gaat open en de directeur komt binnen.

'Sorry dat ik stoor, Annemiek,' zegt hij, 'maar ik wil Bennie van Barrelenstein even meenemen.' Hij kijkt naar Ruutje.

'Dat is hem niet,' zegt de juf. 'Bennie zit daar, bij het raam.'

'Neem me niet kwalijk,' zegt de directeur. 'Maar ze lijken ook zo op elkaar. Ik kan ze onmogelijk uit elkaar houden.'

Bennie is geschrokken. Heeft hij iets gedaan wat niet mocht? Zonder dat hij het zelf in de gaten had? Zonder iets te zeggen kijkt hij de directeur aan.

'Je hoeft niet te schrikken, hoor,' zegt de directeur. 'Je moet alleen maar even mee naar de politie.'

Dat is niet erg handig van de directeur. Nu schrikt Bennie nog veel meer. Iedereen kijkt naar hem. Bennie moet naar de politie.

'Heeft hij iets gedaan?' vraagt de juf.

'Nee, hoor,' zegt de directeur. 'Maar hij heeft die fietsendief toch gezien? Hij moet even aan de politie vertellen hoe hij eruitziet.'

Bennie zucht opgelucht en de juf kijkt de directeur hoofdschuddend aan.

'Dat had je ook wel eens meteen mogen vertellen,' zegt ze. 'Dat arme kind schrikt zich wild.'

Bennie staat op. Gelukkig, er is niets ergs. Hij hoeft alleen maar te vertellen wat hij gezien heeft. Hij loopt met de directeur de gang op.

'Wacht maar even hier,' zegt de directeur, als ze bij zijn kamertje zijn aangekomen. Hij wijst naar een stoel die daar staat. 'Ik kom je zo halen.'

Bennie gaat zitten en de directeur gaat zijn kamertje in. Bennie hoort het gebrom van zijn stem en ook nog van die van iemand anders.

Het duurt een tijdje. Bennie voelt in zijn broekzak. Hij zoekt zijn knikkers. Maar ze zitten er niet in. Hij voelt in zijn andere zak: ook niet. Hoe kan dat nou? In het speelkwartier had hij ze nog. Hij denkt na en dan weet hij het weer. Net voordat meester Co had ontdekt dat zijn fiets gestolen was, waren ze circusje aan het spelen. En hij had geprobeerd om op zijn hoofd te gaan staan. Toen zijn de knikkers natuurlijk uit zijn zak gevallen. Als ze er nog maar liggen.

Ongerust luistert hij naar de stemmen achter de deur. Die zijn nog aan het praten. Als hij snel is... Hij is al opgestaan. De deur naar het plein is vlakbij. Hij rent door de gang en dan het plein op.

In de klas is het weer stil geworden. Je hoort alleen zo nu en dan iemand kuchen of een bladzij omslaan. Het is altijd een lekker rustig kwartiertje.

Dan steekt Ruutje zijn vinger op. Hij moet naar de wc.

'Het is net speelkwartier geweest,' zegt de juf. 'Waarom ben je toen niet gegaan?'

'Ik was het vergeten,' zegt Ruutje. 'Door die dief.'

'Vooruit dan maar.' De juf zucht. 'Maar denk er voortaan eerder aan, wil je? En zachtjes doen.'

Ruutje staat op en loopt op zijn tenen naar de deur. Het is stil in de gang. Alleen van boven hoort hij zingen. En als hij langs het lokaal van groep drie loopt, hoort hij de stem van de juf. Ze leert de kinderen een nieuw woord. Ruutje loopt op zijn gemak. Leuk is dat, zo'n stille school. Hij is vol met kinderen en toch hoor je bijna niks.

Net als hij bij het kamertje van de directeur is, gaat de deur open en de directeur kijkt om de hoek.

'Kom maar,' zegt hij.

'Ik?' Ruutje kijkt om zich heen.

'Ja, er is verder toch niemand?' zegt de directeur. 'Kom maar gauw.' Hij doet een stap naar voren en legt een hand tegen Ruutjes rug. Ruutje wordt het kamertje in geduwd. Er zit een politieagent bij het bureau van de directeur. Hij heeft een pen in zijn hand en voor hem ligt een blad papier.

'Zo, joh,' zegt de agent, als Ruutje naast hem staat. 'Vertel het maar.'

Ruutje kijkt hem aan, maar zegt niets. Waarom vragen ze dat aan hem? Wat moet hij vertellen?

'Toe maar, kereltje,' zegt de agent vriendelijk. 'Je hoeft niet bang te zijn, hoor.'

'Ik ben niet bang,' zegt Ruutje.

'Mooi.' De agent tikt met zijn pen op het bureau. 'Zeg het maar. Hoe zag de dief eruit?'

O, de dief.

'Hij heeft een blauw petje op,' zegt Ruutje. Dat weet hij nog van Bennie. 'En een zwarte jas aan, geloof ik.'

'Geloof ik?' zegt de agent. 'Je had hem toch gezien?'

Ruutje schudt zijn hoofd.

'Dat is verdorie ook wat moois.' De directeur kijkt hem boos aan. 'En dat had je tegen de juf gezegd.'

'Je hoeft echt nergens bang voor te zijn,' zegt de agent weer. 'Als jij zegt hoe hij eruitzag, hebben wij hem zo te pakken. En dan kan hij je niks doen.'

'Ben je bang?' vraagt de directeur.

'Nee.' Ruutje schudt zijn hoofd. 'Maar ik heb hem echt niet gezien.' Wat zeuren die mensen nou. En waar is Bennie gebleven?

'Nou, het is fraai,' zegt de directeur. Hij pakt Ruutje bij zijn

arm. 'Ik kom zo terug,' zegt hij tegen de agent. 'Ik ga even met hem naar zijn juf.'

Hij gaat met Ruutje de gang op en daar blijft hij stokstijf staan. Hij kijkt naar Bennie, die net terug is van het plein en op de stoel zit te wachten. Dan kijkt hij naar Ruutje. Hij zucht diep. 'Houden jullie de zaak voor de gek, of hoe zit dat?' vraagt hij. Ruutje en Bennie schudden zo hard hun hoofd, dat hun rode haren heen en weer zwiepen.

'Echt niet,' zegt Bennie. Hij kijkt verbaasd naar Ruutje. Wat doet die nou bij de directeur?

'Ben jij Bennie?' vraagt de directeur aan Ruutje. Die schudt nog een keer zijn hoofd, iets rustiger nu.

'Wat doe je dan hier?' vraagt de directeur boos.

'Wc,' zegt Ruutje benauwd.

'En waar was jij?' vraagt de directeur aan Bennie.

'Plein,' zegt Bennie, op dezelfde toon als Ruutje. 'Knikkers kwijt.' Hij laat ze zien.

De directeur zucht nog een keer. 'Ben ik er weer in getrapt,' zegt hij. Hij kijkt naar de twee verschrikte gezichten en schiet dan in de lach. 'Hup, naar de klas.' Hij geeft Ruutje een zetje. 'En jij met mij mee.' Hij pakt Bennie bij zijn arm, alsof hij bang is dat ze weer gaan omwisselen. Hij gaat met Bennie zijn kamertje in.

Ruutje gaat terug naar de klas. Hij is er nog helemaal beduusd van. Als hij bijna bij zijn tafeltje is, draait hij zich weer om en loopt terug naar de deur. De juf kijkt hem verbaasd na.

'Dat is waar ook,' zegt Ruutje tegen haar. 'Ik moest naar de wc. Helemaal vergeten.'

'En?' vraagt de juf, als Bennie weer terug is. 'Heb je de politie een beetje kunnen helpen?'

'Ik weet het niet.' Bennie haalt zijn schouders op. 'Het is wel moeilijk.'

'Ja,' zegt de juf. 'Je hebt hem natuurlijk maar heel kort gezien.'
'Ik wist alleen dat hij op de fiets was,' zegt Bennie. 'En dat hij
een blauw petje op had en een zwarte jas aan.'
'Dat wisten we al,' zegt Ruutje. 'Dat had ik ze ook wel kunnen
vertellen.'
'Hij ging te hard.' Bennie is weer gaan zitten. 'Hij ging als een
speer over het plein.'
Ruutje knikt. Dat snapt hij wel. Zo'n dief gaat er natuurlijk zo
snel mogelijk vandoor. Die scheurt met zijn neus op het stuur
de hoek om.

Je mag niet naar groep vier

'Vanmiddag gaan we oefenen voor het circus,' zegt de juf. 'Zijn er kinderen die een speciaal dier willen zijn?'
Heel veel kinderen steken hun vinger op. De meesten willen een leeuw zijn, of een tijger. Bennie ook. Maar hij wil ook wel de dierentemmer zijn.
'Dat wou ik zelf zo graag doen,' zegt de juf. 'Dat lijkt me nou net iets voor een juf, wilde dieren temmen.'
Bennie zucht. Jammer is dat.
'Weet je wat?' De juf ziet hoe teleurgesteld hij is en ze heeft meteen een oplossing. 'We doen gewoon twee dierentemmers. Een hoofdtemmer en een hulptemmer. Wat zeg je daarvan?'
Bennie is helemaal gelukkig. Hij kijkt trots om zich heen, alsof hij nu al de baas over de hele groep is.
Henkie en Ruutje willen allebei paard zijn. Dat komt goed uit, want voor een paard hebben ze twee kinderen nodig: een voorkant en een achterkant.
'En wat wil jij worden, Nadia?' vraagt de juf.
Daar heeft Nadia over nagedacht. 'Een konijntje,' zegt ze.

Het gaat goed met het circus. Een week voor het feest begint, hebben ze al zo vaak geoefend, dat er al bijna niets meer fout kan gaan. Janice gromt, Henkie hinnikt en Ruutje zwiept met zijn staart. Bennie zwaait met zijn zweep en Nadia zit in een hoekje. Ze hebben allemaal gekleurde lappen verzameld. Vaders en moeders hebben geholpen met het maken van de dierenpakken en zelf hebben ze maskers gemaakt. Het ziet er prachtig uit.
Op een middag gaan ze het laatste uur weer oefenen. Om de

beurt gaat er iemand bij de deur staan, want ze willen hun voorstelling geheimhouden. Dus er mag niemand naar binnen, terwijl ze bezig zijn.

'Jin Li bij de deur,' zegt de juf. 'Tafels aan de kant.'

In een mum van tijd hebben ze ruimte gemaakt. De juf zet de cassetterecorder klaar, want de voorstelling is op muziek. Speciale circusmuziek.

Janice heeft een wit laken om, met allemaal witte dingen erop vastgemaakt, zoals draadjes wol en oude, witte sokken. Ze is een echte ijsbeer. Het is alleen een ijsbeer met een bruin hoofd, maar dat komt omdat Janice haar masker nog niet op heeft. De maskers komen er pas op het laatste moment bij. Anders gaan ze misschien stuk.

Voor het paard heeft de juf iets bijzonders gemaakt: een kop van papier-maché. De kop is hol en Henkie moet hem op zijn hoofd zetten. Henkie is de kop en Ruutje is de kont. Ze hebben met zijn tweeën een grote, grijze deken over zich heen, met een staart aan de achterkant.

Eelco is een tijger, met een gele doek met zwarte strepen, en Rachid is een zwarte panter. Heel gevaarlijk.

'Oké,' zegt de juf. 'Op je plaatsen. Wie aan de beurt is, komt in de kring. De rest wacht aan de zijkant.' Zelf gaat ze in het midden staan, met Bennie naast zich. Ze hebben allebei een lange zweep in hun handen. Bennie voelt zich ontzettend stoer. Eindelijk een zweep. Nu zal hij eens laten zien, wie er de baas is.

De juf zet de muziek aan en de dieren die in de kring staan, beginnen een rondje te lopen, achter elkaar aan.

'Ja, opschieten!' roept Bennie. Hij zwaait met zijn zweep.

'Au!' De tijger wordt geraakt. 'Kijk uit, gek!'

'Niet zo wild, Bennie,' zegt de juf. 'Dat hoeft niet.'

Maar Bennie weet nog niet goed hoe hij met die lange zweep moet omgaan. Hij zwaait er maar zo'n beetje mee rond, en hup, daar raakt hij de achterkant van het paard.

Ruutje komt onder de deken vandaan en kijkt boos naar de juf. 'Ik doe toch mijn best,' zegt hij. 'Dan hoeft u niet meteen te gaan slaan.' Dat valt hem van haar tegen.

'Dat doe ik niet,' zegt de juf. 'Dat doet Bennie.'

'Per ongeluk.' Bennie maakt het uiteinde van de zweep los. Het touw is vast blijven zitten om een poot van het bureau. 'Kijk, het ging zo' Bennie zwaait nog eens en alle losse blaadjes vliegen van het bureau en fladderen door de kring.

'Nou, Bennie toch!' De juf wordt een beetje boos. Ze loopt naar het bureau en schuift de la open. Ze pakt er een schaar uit en loopt naar Bennie toe.

Ruutje houdt zijn adem in van schrik. Gaat ze zijn haar eraf knippen?

Niet doen, wil hij zeggen. Niet zijn haar! Maar de juf knipt een stuk van het zweeptouw.

'Dat lijkt me veiliger,' zegt ze. 'En het blijft toch een zweep.'

Bennie kijkt beteuterd. Is hij nu minder de baas over de dieren?

'Ja, doorlopen!' roept hij. De dieren gaan weer verder met hun rondje. Dat valt alweer mee. Ze gaan verder met oefenen. Alle dieren doen ook nog een kunstje van zichzelf. De panter kan op zijn handen staan, heel eventjes maar. En de ijsbeer kan met twee sneeuwballen kaatsen tegen de muur. Het gaat erg goed.

'Bennie,' zegt de juf tegen haar collega, 'nu moet jij even de wacht houden. Ik kan het wel voor een poosje alleen af.' Bennie loopt naar de deur. Zijn zweep neemt hij mee.

'Ga maar naar binnen,' zegt hij tegen Jin Li. 'Ik ben aan de beurt.' Jin Li gaat de klas in en Bennie loopt de gang op en neer om te kijken of er iemand aan komt.

Jin Li doet haar vleugels aan. Ze is een Chinese vogel. De juf doet een ander bandje in de cassetterecorder. Er klinkt Chinese muziek en Jin Li doet een Chinese dans. De Chinese Vogeltjesdans.

En dan zijn Henkie en Ruutje aan de beurt. Henkie gaat weer met zijn hoofd in dat van het paard en Ruutje gaat gebukt achter hem staan. De deken gaat eroverheen. Ze moeten over een laag bankje springen. Eerst Henkie en dan Ruutje. En het paard moet heel blijven.

'Allé, hop!' De juf zwaait met haar zweep en daar gaat Henkie. Het paardenhoofd zakt scheef en Henkie ziet niets meer. Hij struikelt over het bankje en valt om, met zijn achterkant over zich heen. Het hele paard stort in. Het hoofd is gelukkig nog heel.

Intussen kijkt Bennie om de hoek van de gang, want hij hoort iemand aankomen. Het is Peer, een jongen uit groep acht. Hij heeft een briefje in zijn hand.

'Waar moet jij naartoe?' vraagt Bennie.

Peer kijkt hem verbaasd aan. 'Dat ga ik jou niet aan je neus hangen,' zegt hij. 'Zo'n ukkie.'

'Je mag niet naar groep vier,' zegt Bennie.

'Dat is ook toevallig.' Peer loopt door. 'Daar moet ik nou net heen.'

Bennie gaat voor hem staan en steekt zijn zweep in de lucht. 'Verboden toegang,' zegt hij.

Bennie kijkt zo streng mogelijk. Hij ziet er gevaarlijk uit, vindt hij zelf.

Peer schiet in de lach. Hij duwt Bennie opzij en loopt verder naar de deur van groep vier.

'Halt!' roept Bennie. 'Het mag niet!' Hij geeft Peer een schop onder zijn kont.

Nu wordt Peer kwaad. 'Hé, ben je nou klaar?' zegt hij. 'Donder op, man!' Hij klopt aan.

'Nee!' Bennie schreeuwt zo hard als hij kan. 'Nee, nee, néé!'

De deur van de klas gaat een klein stukje open en de juf steekt haar hoofd om de hoek. 'Wat is hier aan de hand?' vraagt ze verbaasd.

'Hij wil naar binnen,' zegt Bennie.

'Ik heb alleen maar een briefje van meester Co.' Peer kijkt boos naar Bennie. 'En dan begint hij te schoppen, die gek.'

De juf kijkt naar Bennie en ze schiet in de lach. Daar staat hij, met zijn zweep in zijn hand, en helemaal opgewonden. Hij kijkt naar links en naar rechts, of er nóg iemand aankomt.

'Sorry,' zegt ze tegen Peer. 'Het is mijn schuld. Ik had gezegd dat er niemand in mocht.' Peer begrijpt er niets van. Als er niemand in mag, ga je toch geen kind met een zweep bij de deur zetten?

'We zijn aan het oefenen,' zegt de juf. 'Voor het circus.'

'Niet verder vertellen,' zegt Bennie.

Peer kijkt ze een voor een aan. Dan geeft hij het briefje aan de juf, en loopt zonder verder iets te zeggen hoofdschuddend weg. Die zijn waarschijnlijk gek geworden.

Wat is het leven soms toch leuk

Als Ruutje en Bennie die avond in bed liggen, zegt Bennie: 'De school bestaat vijfentwintig jaar, hè?'
'Ja,' zegt Ruutje. 'Lang, hoor.'
'Dus de school is jarig,' zegt Bennie.
'Nee, joh.' Ruutje schiet in de lach. 'Een school is toch geen mens.'
'Dat geeft niks,' zegt Bennie. 'Jarig is jarig. En als je jarig bent, krijg je cadeautjes.'
Dat is zo. Ze krijgen zelf ook cadeautjes als ze jarig zijn. De laatste keer hebben ze nog allebei een stepje gekregen. Daar doen ze altijd wedstrijdjes mee.
'De school moet ook een cadeautje hebben,' zegt Bennie.
Ruutje denkt diep na. Een cadeautje geven aan de school, dat ziet hij nog even niet voor zich. Wat zou dat moeten zijn? Je kunt de school moeilijk een spel geven, of kleren. Of een fiets.
'Maar wie moet dat cadeautje dan geven?' vraagt hij.
'Wij natuurlijk,' zegt Bennie. 'Als verrassing.'
'Maar wat dan?'
'Daar ga ik vannacht over nadenken.' Bennie draait zich op zijn andere zij. 'Of dromen. En morgen weet ik het.'
'Succes,' zegt Ruutje.
'Bedankt,' zegt Bennie. 'Ga jij maar slapen. Ik bedenk wel wat.'

De volgende morgen is Ruutje als eerste wakker. Hij kijkt opzij. Bennie slaapt nog. Zijn rode piekharen steken onder zijn witte dekbed uit. Als een polletje rood gras uit een berg sneeuw.
Het is zaterdag en ze hoeven niet naar school.

'Psst.' Ruutje is ongeduldig overeind gaan zitten. Hij wil weten wat Bennie bedacht heeft. 'Psst! Hé, Bennie, hé!'

Bennie bromt vanonder zijn dekbed, maar hij is nog niet echt wakker.

'Ben je er al?' vraagt Ruutje. 'Of slaap je nog?'

'Ik slaap nog,' kreunt Bennie.

'Oké.' Ruutje gaat weer liggen. 'Dan wacht ik nog wel even.' Hij kijkt naar een poster aan de muur. Tarzan en Jane. Tarzan heeft Jane in zijn ene arm en met zijn andere houdt hij zich aan een tak vast.

Als ik zulke spierballen had, denkt Ruutje, dan ging ik met de juf door het bos vliegen. En dan was ik Tarzan en de juf was Jane. Hij ziet het helemaal voor zich. De juf kijkt hem aan met haar mooie ogen. 'Ik wist niet dat je zo sterk was, Ruutje,' zegt ze.

'Ik til zo een auto op,' zegt Ruutje. 'Met gemak.'

'Wat?' Bennie komt onder zijn dekbed vandaan.

'O, niks.' Ruutje is niet van plan om aan Bennie te vertellen dat hij verliefd op de juf is. Dat is verschrikkelijk geheim.

'Je zei dat je zo een auto optilt,' zegt Bennie. 'Ik hoorde het zelf.'

'Heb je al wat bedacht?' vraagt Ruutje dan maar snel. 'Voor het cadeau voor de school?'

'Ja,' zegt Bennie. 'We gaan een schilderij geven. Voor aan de muur.'

'Een schilderij, leuk. Wanneer gaan we het maken, vandaag?'

'We gaan het niet zelf maken. We gaan het kopen.' Bennie wrijft de laatste slaap uit zijn ogen. 'In de schilderijenwinkel.' Ruutje kijkt hem zonder iets te zeggen aan. Bennie heeft altijd van die onverwachte plannen, dat is hij wel van hem gewend. Hij hoeft ook niets te vragen, alleen maar af te wachten.

'We gaan in de buurt geld ophalen.' Daar is het plan al. 'We houden een dinges.'

'Dinges?'

'Ja, hoe heet dat ook alweer? Dat je geld ophaalt, in zo'n geld-bus.'

'Gewoon, geld ophalen,' zegt Ruutje.

'Nee.' Bennie zwaait zijn benen buiten bed. 'Het heet anders.' Hij gaat naar de slaapkamer van papa en mama. Ruutje loopt achter hem aan.

'Hallo,' roept Bennie, als hij voor de deur van de slaapkamer staat. 'Zijn jullie wakker?'

Het blijft stil.

'Ze slapen nog,' zegt Ruutje.

'Weet je het zeker?' vraagt Bennie. Hij doet de deur een eind-je open en roept nog een keer: 'Zijn jullie wakker?'

Het slaperige hoofd van papa komt onder het dekbed uit. 'Ja, nu wel,' zegt hij. 'Wat moet je?'

'Hoe heet het als je geld gaat ophalen bij de mensen?' vraagt Bennie. 'Met een geldbus?'

'Een collecte,' zegt papa. 'Hoezo?'

'Niks,' zegt Bennie. 'Zomaar.' Hij houdt snel een hand voor Ruutjes mond en sleept hem mee.

'Wat is er nou?' vraagt Ruutje als ze weer in hun eigen kamer zijn.

'Je wou het vertellen, van het cadeau,' zegt Bennie.

'Hoe weet jij dat?' Ruutje kijkt hem verbaasd aan.

'Ik ken je langer dan vandaag.' Bennie doet zijn kast open en rommelt in een stapel spelletjes en stripboeken. Hij steekt zijn hand diep in een hoek van de kast en zegt: 'Hebbes.'

Hij haalt een kip te voorschijn. Geen echte, maar een van plas-tic. Met een gleuf op zijn rug.

'Je spaarkip,' zegt Ruutje. 'Die heb ik ook.'

Hij gaat op zoek. Toen ze de laatste keer jarig waren, hebben ze allebei zo'n spaarpot van opa en oma gekregen. Maar omdat ze er ook al een van hun andere oma en opa gekregen hadden, hebben ze deze maar zolang in de kast gestopt.

'Niet tegen opa en oma zeggen,' had mama zachtjes gezegd. 'Dat is zielig.'

Dat hadden ze niet gesnapt. Wat daar zielig aan was. *Zij* waren zielig, met twee dezelfde cadeaus. Maar toen kwamen oom Hans en tante Hetty met een nieuw spel. En Eefje en haar moeder met boetseerklei. Ze hadden de spaarpotten weggezet en waren het al snel weer vergeten.

Ruutje heeft zijn kip ook gevonden.

'Die kunnen we nu goed gebruiken,' zegt Bennie. 'Voor de collecte.'

'Wat kost zo'n schilderij eigenlijk?' vraagt Ruutje.

'Een heleboel,' zegt Bennie. 'Ik denk wel honderd euro.'

Honderd euro is erg veel. Maar misschien vinden de mensen in de buurt het wel erg leuk om de school een cadeau te geven en is de spaarkip heel snel vol.

'Nog niks tegen papa en mama zeggen,' zegt Bennie. 'Het is een verrassing.' Hij weet niet precies wat ze ervan zullen zeggen. Misschien vinden ze het wel gek.

Het duurt lang voor papa en mama uit bed zijn. Op zaterdag hebben ze nooit haast. Maar dan begint Geertje gelukkig te huilen.

'Geertje huilt,' zegt Bennie met zijn hoofd om de hoek van de slaapkamerdeur. 'Opstaan!'

Hij gaat samen met Ruutje vast even bij Geertje kijken. Het gehuil uit de wieg wordt steeds harder.

'Rustig maar.' Bennie duwt de wieg een beetje heen en weer. Ruutje buigt zich over Geertje heen. Hij haalt met een vies gezicht zijn neus op.

'Gatver,' zegt hij. 'Wat lig jij te stinken.' Geertje blijft huilen. Papa komt binnen. Hij ruikt het al als hij nog bij de deur is. 'Jemig,' zegt hij tegen Geertje. 'Jij hebt je best gedaan, zeg.'

'Nou, heel erg,' zegt Ruutje enthousiast. 'Ouwe stinkerd.'

Papa haalt Geertje uit de wieg. Hij houdt haar een eindje van zich af en legt haar dan op de commode.

'Willen jullie kijken?' vraagt hij

'Nee, dank je wel,' zegt Bennie. 'Ik blijf liever gezond.'

Papa maakt het slaappakje van Geertje los. Ruutje en Bennie knijpen hun neus dicht en gaan naar de overloop. Daar komen ze mama tegen.

'Ga maar naar beneden,' zegt ze. 'We gaan gauw eten.'

Een uurtje later lopen ze met zijn tweeën over straat. Ze hebben allebei hun spaarkip onder hun jas.

'Waar beginnen we?' vraagt Ruutje.

'Een eindje verder,' zegt Bennie. Hij wil niet te dicht bij huis beginnen. Eerst maar eens oefenen bij mensen die ze niet zo goed kennen. Ze lopen een paar straten door en een paar hoeken om. Het is rustig op straat, omdat het zaterdag is.

Bennie kijkt op een bordje. 'Tiemanstraat,' zegt hij. 'Hier gaan we beginnen.' Hij haalt de kip onder zijn jas vandaan en loopt een tuin in. Hij belt aan, terwijl Ruutje achter hem staat.

Het duurt even, maar dan gaat de deur open. Er staat een vrouw in een kamerjas.

'Dag, mevrouw,' zegt Bennie beleefd. 'We houden een collecte voor een cadeau voor onze school.' Hij houdt zijn spaarkip onder haar neus.

'Dat is zeker een grapje?' vraagt de vrouw. Ze kijkt de twee jongetjes achterdochtig aan.

'Echt niet.' Ruutje doet een stap naar voren. 'Onze school is jarig. Over twee weken al.'

'Hou je eigen soort voor de gek,' zegt de vrouw. 'Moet je me daarvoor uit bed bellen?' Ze slaat de deur voor hun neus dicht.

Beteuterd lopen ze samen de tuin uit. Het leek wel of die mevrouw boos werd. Daar hadden ze niet op gerekend.

'Wat bedoelde ze nou met je eigen soort?' vraagt Ruutje.

'Weet ik veel.' Bennie wordt boos. 'Achterlijk mens.'

'Maar ik snap het niet,' zegt Ruutje. 'Moeten we nou alle twee-lingen voor de gek houden? Of alle mensen met rood haar?'
'We houden niemand voor de gek,' zegt Bennie. 'Doe niet zo stom.'
'Oké.' Ruutje pakt zijn kip. 'Nou ik.' Hij loopt de volgende tuin in en belt aan.
Als even later de deur opengaat, staat er een oude man voor hem. Hij heeft spierwit haar en een witte snor.
'Dag, jongetje,' zegt hij. 'Wat kan ik voor je doen?'
'De school is jarig.' Ruutje zegt het zo flink mogelijk.
'Ach,' zegt de oude man, 'kan dat? Dat wist ik niet.' Hij kijkt naar de kip die Ruutje hem voorhoudt. 'En wat is dat?'
'Dat is om geld in te doen,' zegt Ruutje. 'Voor een cadeau.'
'Een cadeau voor de school, dat is nog eens origineel.' De man lacht. 'Wat gaan jullie geven?'

'Een schilderij,' zegt Bennie, die aan het begin van het paadje is blijven staan.

De man kijkt van de een naar de ander. Hij ziet twee jongetjes die niet van elkaar te onderscheiden zijn. En dan hebben ze ook nog eens allebei een plastic kip bij zich. Hij schiet weer in de lach.

'Wat is het leven soms toch leuk,' zegt hij. Hij pakt zijn portemonnee. 'Kom hier.' Hij wenkt Bennie. Hij grabbelt in zijn geld en stopt in allebei de kippen wat.

'Dank u wel,' zegt Bennie beleefd, en Ruutje zegt: 'U bent veel aardiger dan die mevrouw hiernaast.' Hij wijst.

De man moet nog harder lachen. 'Dat is zo,' zegt hij. 'Zeker weten.'

'Dag, meneer,' zegt Bennie.

'En nog een fijne dag,' zegt Ruutje.

Dan lopen ze samen de tuin uit.

Ze gaan in drie straten alle huizen langs, maar het valt niet mee. De meeste mensen geven niets. En één meneer wordt heel boos. Hij zegt dat het verboden is. Dat hij de politie gaat bellen. Dat ze van dat geld natuurlijk snoep gaan kopen. Dat die school zich moet schamen.

Als ze op de hoek van de straat zijn, horen ze hem nog roepen. Dat hij dat vroeger nooit in zijn hoofd gehaald zou hebben. Dat de kinderen van tegenwoordig niet meer opgevoed worden.

'Tjongejonge,' zegt Bennie. 'Wat schreeuwt die man.'

'Gaat hij echt de politie bellen?' vraagt Ruutje een beetje benauwd.

'Misschien wel.' Bennie kijkt om zich heen alsof elk moment de politieauto's de hoek om kunnen scheuren. 'Laten we maar naar huis gaan.'

Ze lopen snel door naar hun eigen straat. Als ze weer op hun kamer zijn, draaien ze de stop onder uit hun kip en leggen het geld op Ruutjes nachtkastje. Alles bij elkaar hebben ze één euro dertig opgehaald.

'Daar kunnen we geen schilderij van kopen,' zegt Bennie. 'Hoogstens een ansichtkaart.'

'En wat doen we nu met het geld?' zegt Ruutje. 'Snoep kopen?'

'Natuurlijk niet,' zegt Bennie. 'We bewaren het zo lang. Misschien bedenk ik nog wel wat.'

Hij doet het geld in zijn spaarkip en stopt hem weer achter in zijn kast. Terwijl hij half in de kast hangt, komt hij opeens overeind. Hij stoot zijn hoofd tegen de plank boven hem.

'Au!' roept hij. 'Ik hee hah!'

'Wat?' Ruutje verstaat het niet. Er zijn een paar knuffels over Bennies hoofd gevallen en er komt stof in zijn neus. Hij niest.

'Kom er eens uit,' zegt Ruutje.

Bennie doet een stap achteruit en komt te voorschijn.

'Ik weet watsjíé!' Hij niest weer.

Ruutje wacht geduldig. Hij verstaat geen Chinees en hij wacht tot Bennie weer Nederlands gaat praten.

Bennie veegt langs zijn neus. 'Ik weet wat,' zegt hij. 'De vrijmarkt. Op het plein.'

Het duurt even, maar dan snapt Ruutje het. 'We gaan ouwe spullen verkopen,' zegt hij. 'En van het geld kopen we het cadeau, bedoel je dat?'

'Dat bedoel ik,' zegt Bennie.

Hij heeft alleen zijn petje thuisgelaten

Het is zover: het feest begint. Op maandag gaan de kinderen niet om halfnegen naar binnen, maar ze blijven op het plein. Ze hebben allemaal een ballon aan een touwtje, met een kaartje met hun naam eraan. Vaders en moeders staan erbij, en alle meesters en juffen.

De directeur gaat op een kistje staan.

'Beste kinderen en ouders,' zegt hij, 'vandaag precies vijfentwintig jaar geleden werd onze school geopend. Dus je zou kunnen zeggen dat de school vandaag jarig is.' Hij draait zich om naar de school en zegt: 'Wel gefeliciteerd!'

Het blijft even stil. Iedereen kijkt naar het gebouw, alsof ze verwachten dat de school iets terug zal zeggen. Maar dat gebeurt niet.

'Hieperdepiep...' roept meester Co. En het hele plein roept: 'Hoera!' Drie keer achter elkaar.

'De school trakteert,' zegt de directeur. 'Op feest. En op lekkere dingen. Een hele week lang!' De kinderen juichen. Ruutje klapt in zijn handen en daar gaat zijn ballon. Ruutje maakt nog een sprongetje, maar hij kan er niet meer bij.

'En nu tellen we samen af van tien tot nul,' zegt de directeur. 'En bij nul laten we allemaal onze ballon los.' Hij begint af te tellen. Iedereen doet mee, en bij nul is opeens de lucht vol gekleurde ballonnen. Het is een prachtig gezicht. In een grote groep stijgen ze op en zo beginnen ze aan de achtervolging van die ene rode ballon, die al ver boven de flats is.

'Die halen jullie nooit meer in,' zegt Ruutje. Hij kijkt zijn ballon na.

Er is van alles bedacht, voor alle groepen wat. Voor groep drie en vier begint het feest met een voorstelling van een clown, die ook goochelaar is. En groep acht gaat naar de bioscoop, om maar een paar voorbeelden te noemen. En elke keer is er weer een traktatie. De eerste dag staat er zelfs een apparaat voor suikerspinnen op het plein. Het kan gewoon niet op.

Dinsdagmorgen is er een vossenjacht. Als de juf dat vertelt, snappen ze eerst niet wat dat is.

Bennie weet wel wat een vos is, maar volgens hem moet je daarvoor niet in de wijk zijn.

'Gaan we naar het bos?' vraagt hij. 'Vossen vangen?'

De juf legt uit dat ze niet achter echte vossen aangaan, maar achter mensen. In de buurt lopen mensen rond die ze moeten opsporen.

'Als er bijvoorbeeld een politieagent op de hoek van de straat staat, kan dat een vos zijn. Dan is het iemand die verkleed is als agent.'

'En als het nou een echte agent is?' vraagt Eelco.

'Dan is het geen vos,' zegt de juf. 'Je moet eerst goed kijken. Het zijn allemaal mensen die je wel kent. En ze doen allemaal iets geks.'

Het lijkt ze tamelijk moeilijk.

'En wat moeten we doen als we hem hebben?' vraagt Bennie.

'Het zijn er vijf,' zegt de juf. 'Jullie krijgen een papier mee, waarop de vossen hun handtekening moeten zetten als ze gevonden zijn. En het groepje dat het eerst alle vijf de vossen heeft gepakt, heeft gewonnen.'

'Groepje?' vraagt Merel.

'Jullie gaan in groepjes van drie kinderen,' zegt de juf. 'We beginnen om halftien met groep vier en vijf.'

'En als we nou een echte vos vinden?' vraagt Ruutje.

Echt lachen met Ruutje, vindt iedereen. Hij kan altijd van die

47

leuke dingen zeggen. Alleen zelf begrijpt hij niet wat er zo lollig aan is. Het was een gewone vraag.

'Die zijn er niet,' lacht de juf. 'Maak je maar niet bezorgd.'

De groepjes worden ingedeeld en om halftien gaat het eerste drietal op pad. Het zijn Ruutje, Janice en Eelco. Ze mogen niet te ver van de school, en niet de grote weg oversteken. Ze moeten in de woonwijk blijven. Er zijn straten genoeg om te zoeken.

Iedere keer als ze bij een hoek komen, rent Ruutje vooruit en kijkt voorzichtig om de hoek.

'Kom maar,' wenkt hij steeds. 'De kust is veilig.' En dan lopen ze samen verder.

Na een paar minuten vinden ze de eerste vos. Iemand in een blauwe overall is met een spons een lantaarnpaal aan het schoonmaken. Ze sluipen voorzichtig dichterbij en dan zien ze dat het meester Co is.

'Hebbes!' roept Ruutje en hij springt meester Co op zijn rug.

'Ho, ho!' zegt meester Co. 'Rustig aan. Een mens kan niet eens meer rustig zijn lantaarnpaal mooi houden.'

Ze gaan in een kringetje om hem heen staan. Janice houdt hem het papier voor en een potlood. 'Handtekening,' zegt ze.

Meester Co krabbelt snel zijn naam op het papier. 'Gauw doorlopen, voor er een ander groepje aan komt,' zegt hij.

Ze gaan er weer vandoor. Als ze bij de hoek zijn, kijkt Ruutje nog even om. Meester Co is de stoeprand aan het poetsen.

Het groepje van Bennie, Rachid en Jin Li heeft ook snel succes. Ze ontdekken meester Ab, de conciërge. Hij zit te vissen in een vijvertje in een tuin. Hij heeft een gele regenjas aan en een gele zuidwester op.

Ze moeten vreselijk lachen. Het spel is lang niet zo moeilijk als ze dachten, maar het is heel erg leuk.

'Opschieten,' zegt Bennie. 'We moeten winnen.'

Ze lopen door, de hoek om. In de verte zien ze nog een ander groepje lopen. Aan de overkant loopt een man over de stoep, voor de bibliotheek.

'Is dat er een?' vraagt Rachid.

Bennie kijkt. 'Ik ken hem niet,' zegt hij. 'En hij doet ook niks.'

'Misschien zo meteen.' Jin Li hurkt achter een auto en Bennie en Rachid gaan naast haar zitten. Ze kijken naar de man aan de overkant. Die loopt rustig verder en er gebeurt niets.

'Ik ken hem wél,' zegt Bennie dan. 'Ik weet alleen niet waarvan.' Hij denkt diep na, maar hij kan er niet opkomen. De man verdwijnt om de hoek.

'Het is geen vos,' zegt Rachid. 'We moeten verder.'

Ze lopen door en speuren rond. Bennie is er niet helemaal bij met zijn hoofd. Hij denkt nog steeds aan de man bij de bibliotheek. Wie was dat nou toch ook weer? Telkens als hij bijna het antwoord weet, schiet het weer weg.

'Hé,' zegt Rachid. 'Zeg eens wat.'

'Huh?' Bennie kijkt hem vragend aan.

'Ik vroeg wat.'

'Wat dan?'

'Waarom we niet op de fiets mogen. Ik loop me rot.'

Bennie staat opeens stil. 'Ik weet het!' zegt hij. Hij slaat met zijn hand tegen zijn voorhoofd. 'De fiets van meester Co!'

'Wat is daarmee?' Jin Li snapt het niet.

'Die was toch gestolen?'

'O, ja.'

'Dat was de dief!'

'Wie dan?' Nu staan ze alle drie stil.

'Die man!' Bennie springt opgewonden op en neer. 'Bij de bibliotheek. Die geen vos was.'

'Echt waar?' Ze kijken om zich heen, maar de man is er natuurlijk niet meer.

'We moeten kijken of hij er nog is,' zegt Bennie. 'Kom op, terug.'

'Maar de vossen dan?' vraagt Jin Li.

'Dit is belangrijker,' zegt Bennie. 'We moeten de dief pakken.'
'Moeten *wij* dat doen?' Rachid schudt zijn hoofd. 'Dat kunnen we nooit, man.'
'Misschien zien we waar hij woont,' zegt Bennie. 'Kom nou!'
Rachid en Jin Li zien het niet zitten, maar ze gaan toch mee. Ze moeten wel, want Bennie is al onderweg. Bij de bibliotheek lopen een paar vrouwen met boodschappentassen. Verder is er niemand te zien. Ze lopen naar de hoek. In de zijstraat zijn een paar winkels. De man is er niet, maar ze zien wel het groepje van Ruutje aankomen.
'We hebben er al drie!' roept Ruutje vanuit de verte. 'En jullie?'
'Ik heb de dief van de fiets van meester Co gezien,' zegt Bennie als de twee groepjes bij elkaar zijn. 'Hij liep hier om de hoek.'
Ruutje houdt zijn adem in. 'Liep hij te stelen?' vraagt hij dan.
'Hij deed niks.' Bennie kijkt voor en achter zich. 'Hij liep alleen maar naar... Ja! Daar is hij!' Hij wijst.
Uit de supermarkt komt een man, dezelfde als daarnet.
'Is dat hem?' vraagt Ruutje.
'Ja,' zegt Bennie. 'Ik weet het zeker.'
'Maar hij heeft geen blauw petje.'
'Toch is het hem. En hij heeft een zwarte jas aan, zie je wel?'
De man loopt bij hen vandaan.
'We moeten achter hem aangaan,' zegt Bennie. 'Dan weten we waar hij woont.'
'En dan?' vraagt Eelco.
'Dat kijken we of de fiets van meester Co in de tuin staat,' zegt Ruutje.
'Joh, gek. Die staat heus niet in de tuin. Die heeft hij verstopt.'
Bennie begint achter de man aan te lopen. Ze gaan met hem mee. Jin Li vindt het een beetje eng, maar ze doet het toch.
De man loopt op zijn gemakje door en kijkt niet één keer om.
De zes kinderen blijven vijftig meter achter hem.

Aan de overkant van de straat zit een vrouw op de stoep in een tuinstoel. Naast haar staat een parasol en een tafeltje met een glas cola erop.

'Joehoe,' zegt ze. 'Ik heb snoep.' Het is juf Paula, van groep zeven. Ze is een vos en ze trakteert alle groepen die haar ontdekken op dropveters.

Maar de kinderen aan de overkant letten niet op haar. Ze zien alleen de fietsendief.

'Weet je echt zeker dat hij het is?' vraagt Merel. 'Waar is zijn petje?'

'Dat vroeg Ruutje ook al,' zegt Bennie ongeduldig. 'Hij heeft geen petje op vandaag, dat zie je toch.'

De man gaat een zijstraat in en de kinderen gaan er op een drafje achteraan.

Juf Paula kijkt verbaasd naar de plek waar ze om de hoek verdwijnen. 'Joehoe!' roept ze nog een keer. 'Ik zit hier, hoor!'

Ze horen het niet. De man loopt langs iemand in een blauwe overall, die op de stoeprand zit en met een klein borsteltje het putje schoonpoetst.

'Daar zit meester Co,' zegt Rachid zacht. 'We moeten hem waarschuwen.'

'Wat zit hij daar nou te doen?' zegt Ruutje verbaasd.

'Hij is een vos,' zucht Bennie. Ruutje is zijn eigen tweelingbroer, maar hij komt altijd zo slecht op gang.

De man let niet op de puttenpoetser en loopt verder. Bennie rent op zijn tenen naar meester Co.

'Meester!' fluistert hij dringend, als hij vlakbij is.

Meester Co kijkt op. 'Jou heb ik toch al gehad?' vraagt hij. 'Of ben jij die andere?'

'Nee,' zegt Bennie. 'Ik ben die ene. Meester, ziet u die man daar?' Bennie wijst naar de rug van de man die alweer een eind verder is.

'Wat is daarmee?' vraagt meester Co.

'Dat is de dief,' zegt Bennie. 'Van uw fiets.'

'Wat zeg je me daar?' Meester Co staat op. 'Is dat hem echt?'

'Echt waar,' zegt Ruutje. 'Hij heeft alleen zijn petje thuisgelaten.'

'Ach,' zegt meester Co. 'Ben jij er ook?'

Wat een domme vraag. Natuurlijk is hij er. Ruutje wijst. 'Daar loopt hij.'

'We gaan achter hem aan,' zegt Eelco. 'We grijpen hem.'

'Jullie gaan niks.' Meester Co steekt zijn borsteltje in zijn zak. 'Jullie blijven hier. Ik ga zelf.' Hij loopt achter de man aan en kijkt niet om.

Als hij dat wel had gedaan, had hij gezien dat de kinderen alle zes achter hem aansluipen. Dat willen ze zien, dat meester Co een dief in zijn lurven grijpt!

De man gaat de hoek van de Tiemanstraat om en meester Co

gaat rennen, met de kinderen achter zich aan. Als hij bij de hoek is, staat meester Co plotseling stil. Maar Bennie, die vlak achter hem liep, heeft het niet in de gaten en botst keihard tegen de meester aan. Ze vallen samen om en de andere vijf duikelen eroverheen.

Daar ligt het hele kluitje op de grond. De armen en benen steken alle kanten uit.

'Wat had ik nou gezegd!' zegt meester Co. 'Jullie moesten blijven staan!' Hij krabbelt overeind en ziet dat de man al een heel eind verder is en naar een bestelbusje loopt dat langs de stoep staat. 'Nou gaat hij ervandoor.'

Maar dat gebeurt niet. Het busje keert en komt juist hún kant oprijden.

'Weg!' roept Bennie. 'Verstoppen!' Hij duikt een tuin in en de anderen struikelen achter hem aan. Ze zitten samen achter een grote struik als het busje langs komt rijden. Alleen meester Co zit nog op de stoep. Hij ziet het busje passeren. De man achter het stuur let helemaal niet op hem. Meester Co kijkt goed en pakt een pen uit zijn zak en een stukje papier. Hij schrijft snel iets op.

'De kust is veilig,' zegt Bennie. Ze staan op.

'Ja, wat moet dat?' Achter hen gaat een deur open. Er komt iemand de tuin in. 'Weg, mijn tuin uit. Als de bliksem!'

Ruutje zit het dichtst bij hem. Hij kijkt om en ziet dat het dezelfde man is die zo boos was geweest toen ze geld gingen inzamelen. De man herkent Ruutje op hetzelfde moment.

'Ben jij dat weer?' zegt hij. 'Jullie, bedoel ik.' Hij heeft Bennie ook gezien.

'We zaten achter een dief aan,' hijgt Ruutje geschrokken. 'En toen moesten we ons verstoppen. Hij kwam naar ons toe.'

'Jullie zaten achter een dief aan, en toen kwam hij naar jullie toe,' herhaalt de man. 'Ik snap het, maar niet heus.'

'Het is echt waar,' zegt Bennie.

'Jullie houden me weer voor de gek. Jullie maken de buurt onveilig.' De man kijkt naar meester Co, die opgestaan is. 'U moest u schamen,' snauwt hij.

'Ik hoor er niet bij,' zegt meester Co. Hij veegt zijn handen af aan zijn overall. 'Ik weet nergens van.' Hij loopt weg.

'Opgedonderd,' zegt de man tegen de kinderen. 'En laat ik jullie hier niet weer zien.'

Ze maken dat ze de tuin uitkomen en gaan achter meester Co aan.

'Ik ken jullie niet,' zegt die.

'Maar we wilden alleen maar helpen,' legt Bennie uit, 'zodat u uw fiets weer terugkrijgt.'

Meester Co staat stil. Hij kijkt naar de kinderen, die voor hem staan. Ze kijken geschrokken. Hij ziet Bennie, en Ruutje ernaast. Twee rode hoofden. Hij schiet in de lach.

'Ik heb het nummer van zijn busje,' zegt hij. 'Als het echt de dief is, is hij erbij.'

'Natuurlijk is hij het.' Bennie is zeker van zijn zaak. 'Ik heb hem toch zelf gezien.'

'Hij zet de fietsen natuurlijk in dat busje,' zegt Eelco.

'Goed gedacht,' zegt meester Co. 'We zullen zien. Gaan jullie maar weer vossen vangen.'

Maar het is al bijna tijd. Ze ontdekken alleen juf Paula nog, die nog steeds op haar tuinstoel zit. Ze stuurt ze naar school. Snoepend van hun dropveter komen ze het plein op.

'Hoeveel vossen hebben jullie gevangen?' vraagt de juf. 'Alle vijf?'

'Vier,' zegt Ruutje. 'O nee, vijf.' Hij telt meester Co er ook maar bij.

Het groepje van Bennie heeft er maar drie: Meester Co, meester Ab en juf Paula.

'Dat valt me van jullie tegen, hoor.' De juf is verbaasd.

'Maar wij hebben de dief gezien,' zegt Bennie.

'De dief?'

'Van meester Co zijn fiets. Meester Co heeft zijn nummer opgeschreven.'

'Hou je me voor de gek?' vraagt de juf. 'Zijn nummer?' Ze snapt er niets van.

Dan komt meester Co het plein op. 'Ik heb zijn nummer!' roept hij. Hij neemt de juf mee naar binnen om het uit te leggen. En daarna gaat hij de politie bellen.

De kinderen mogen nog even op het plein blijven. Andere groepjes horen van de achtervolging van de dief en komen erbij staan. En Bennie is weer de held.

Ik zeg maar zo: handel is handel

Op vrijdagmiddag is de vrijmarkt. 's Avonds is de circusvoorstelling, in de grote gymzaal. Alle vaders, moeders, opa's, oma's, ooms en tantes mogen komen kijken.
'Weet je wat ik zou willen?' zegt Bennie op donderdagavond.
'Dat Eefje ons kon zien met de wilde dieren.'
'Ja,' zegt Ruutje. 'Leuk.'
'Ik kan wel bellen,' zegt mama. 'Dan kan ze ook een nachtje blijven slapen, goed?'
Natuurlijk vinden ze dat goed. Eefje is hun speciale vriendin, waar ze al veel mee hebben beleefd. Op het eiland bij Marga, in de boomhut, en met schaatsen.
'Dan kan ze zien dat ik de dierentemmer ben,' zegt Bennie. 'Ik krijg een hoge hoed op.'
'Echt waar?' zegt mama. 'Wat leuk. Dan moet je je mooie witte bloes aandoen, en een vlinderstrikje van papa om.' Bennie ziet het al helemaal voor zich.
'En jullie moeten wel van tevoren tegen Eefje zeggen, dat ik de achterkant van het paard ben,' zegt Ruutje. 'Anders denkt ze dat ik niet meedoe.'
'Is dat het enige wat je doet?' vraagt papa. 'Paardenkont spelen?'
'Dat is moeilijk, hoor,' zegt Ruutje. 'Ik kan niks zien, maar ik moet wel Henkie bijhouden.'
'Ik ben reuze benieuwd.' Mama lacht. 'En ik zal meteen de moeder van Eefje bellen.'
'Wij gaan oud speelgoed uitzoeken,' zegt Bennie. 'Voor de vrijmarkt.' Ruutje en hij gaan naar boven. Als ze op hun kamer zijn, beginnen ze in hun kast te graaien en even later ligt de vloer bezaaid met spullen, nieuw en oud door elkaar.

'Mijn lego doe ik niet weg,' zegt Bennie, 'en mijn brandweer-auto ook niet.'

'En ik mijn schaatsen niet,' zegt Ruutje, 'en die knuffelhond.' Ze leggen alles wat ze zelf willen houden opzij, elk in een hoek. Als ze daarmee klaar zijn, is er midden in de kamer niet veel overgebleven.

'Deze mag wel weg.' Bennie houdt een gerafelde, oude teddybeer omhoog. Maar als hij dat doet, lopen er aan de onderkant allemaal kleine korreltjes uit, van de vulling.

'Hou hem op zijn kop,' zegt Ruutje. 'Anders poept hij alles onder.'

Dat is niks, een teddybeer die je alleen maar ondersteboven kunt houden. Die kun je niet verkopen natuurlijk.

'Dit dan,' zegt Bennie. Hij pakt een zwarte auto. Maar de wielen staan scheef en er zit een grote kras op het dak. Ook niks. Er valt niet veel te verkopen. En wat er nog ligt, is oud en stuk.

'Dat wordt pet,' zegt Bennie. 'We moeten ook goeie spullen hebben.'

Ze bekijken alles nog een keer. Een paar knuffels nog dan. En vooruit, de spaarkippen ook.

Maar al met al is het niet erg veel.

Mama komt naar boven. 'Eefje komt,' zegt ze. 'En wat denk je? Ze heeft vrijdagmiddag vrij van school. Er is een vergadering. Dus ze komt 's middags al.' Mama kijkt naar de vloer. 'Lukt het?'

'We hebben niet zoveel,' zegt Ruutje. 'We willen bijna alles zelf houden.'

'Tja.' Mama denkt na. 'Weet je wat? Jullie mogen ook wel wat spullen van ons verkopen. Er staan nog wel een paar koektrommels. En er zijn nog wat boeken die weg kunnen, en oude grammofoonplaten. Kom maar mee.'

De kast beneden gaat ook open en dan hebben ze even later toch een aardige voorraad.

'Wat gaan jullie met het geld doen?' vraagt papa. 'In je spaarpot zeker?'

Bennie houdt snel zijn hand weer voor Ruutjes mond.

'Wat doe je nou?' vraagt mama verbaasd.

'Hij moet niezen.' Bennie stoot Ruutje aan. 'Toe dan.'

'Hatsjie!' doet Ruutje.

'Ja,' zegt Bennie dan. 'In onze spaarpot.' Hij neemt Ruutje
snel mee naar de gang.

'Net op tijd.' Ruutje veegt met zijn hand over zijn voorhoofd.
'Ik had het weer bijna verteld.'

'Als je mij toch niet had...' zegt Bennie.

Eefje is er nog niet. Mama gaat haar van de trein halen. Ruutje en Bennie gaan vast naar het schoolplein. De spullen die ze
willen verkopen hebben ze in twee grote dozen gedaan.

'Hebben we alles?' vraagt Bennie.

'Yes sir,' zegt Ruutje. 'We kunnen vertrekken.'

Bennie steekt zijn hoofd om de deur van de kamer. 'We gaan,
hoor,' zegt hij.

'Niet met de deur gooien,' zegt papa. 'Er zit een vogel in de
tuin van de buren. Ik wil even zien wat dat is.'

Ze dragen de dozen naar buiten en doen de keukendeur zachtjes achter zich dicht. De vogel in de boom van de buurman
zien ze niet. Voor dat soort dingen hebben ze ook geen tijd. Ze
pakken hun step uit de schuur.

'Kijk,' zegt Bennie. 'Dat oude tasje kan ook nog wel mee.'

Op de bagagedrager van papa's fiets ligt een bruin tasje.
Bennie gooit het bij zijn andere spullen. Ze zetten elk een
doos op het plankje van hun step en zo schuifelen ze de tuin
uit.

In de kamer zegt papa tegen mama: 'Heb jij mijn verrekijker
ergens gezien?'

Nee, ze heeft hem niet gezien, en ze heeft geen tijd om te

zoeken. Ze moet naar het station. Mopperend loopt papa de trap op.

Op het plein zijn al een heleboel kinderen hun spullen aan het uitstallen. Ruutje en Bennie vinden bij het glijbaantje nog een plek. Ze spreiden een oude deken uit, waar ze alles op leggen. De boeken bij elkaar, de grammofoonplaten op een stapeltje, en dan het speelgoed nog. En een blikje om het geld in te doen. De spaarkippen staan vooraan. Die zijn nog nieuw, dus die zullen wel gauw verkocht worden.
De juf komt langs. 'Over een kwartier gaat het hek open,' zegt ze. 'En dan begint het. Hebben jullie al prijzen opgeschreven?'
'Prijzen?' vraagt Bennie.
'Ja, hoeveel alles kost. Dat had ik toch gezegd, gisteren?'
'Vergeten.' Bennie voelt in zijn broekzakken. Jeetje, nu moet hij nog snel prijzen bedenken. 'Heeft u niet een paar briefjes?'
Zuchtend haalt de juf een paar papiertjes en een potlood

te voorschijn. Ze had er al op gerekend. 'Ik had het kunnen weten,' zegt ze. 'Schrijf het maar gauw op.' Ze loopt weer door.
'Ik weet niet hoeveel alles kost,' zegt Ruutje.
'Ik wel.' Bennie steekt zijn hand uit. 'Kom op met dat potlood.' Hij schrijft 5 *euro* op een briefje en legt dat bij een van de spaarkippen. En dan doet hij hetzelfde bij de andere kip.
'Niet te goedkoop, hoor,' zegt Ruutje. 'Anders hebben we nooit genoeg.'
Tien euro per boek en ook per grammofoonplaat. Als ze die allemaal verkopen, hebben ze genoeg voor een heel groot schilderij. Ze zijn er klaar voor.
'Dat ouwe tasje doen we voor vijftig cent,' zegt Bennie. 'Het is toch maar versleten.'
'Zit er nog iets in?' vraagt Ruutje, maar Bennie heeft geen tijd om te kijken. Het hek van het plein gaat open en de vrijmarkt gaat beginnen. De eerste die het plein opkomt, is Eefje. Ze heeft een rood hoofd van het harde lopen.
'Net op tijd,' zegt ze. 'Hoi.'
'Hoi.' Ruutje en Bennie hebben geen tijd om een gesprek te beginnen. De eerste klanten komen eraan.

Ze verkopen niks. De mensen vinden hun spullen wel leuk, maar ze zijn veel te duur.
'Vijf euro voor zo'n kip, dat betaal ik echt niet,' zegt een vrouw, die samen met haar dochtertje bij de deken van Ruutje en Bennie staat.
'Maar ik wil die kip hebben,' zegt het meisje.
'Je mag hem wel hebben,' zegt haar moeder, 'maar alleen als hij goedkoper is. Vijf euro is echt te veel.'
'Eén euro dan,' zegt Eefje.
'Dat is goed,' zegt de vrouw. 'Dat wil ik er wel voor geven.' Ze pakt een euro uit haar portemonnee en betaalt. Het meisje pakt de kip en loopt verder met haar moeder.

'Wat doe je nou?' zegt Bennie. 'Zo halen we het nooit.'

'Wat niet?' vraagt Eefje

En dan vertelt Bennie van hun plan om een schilderij te kopen.

Eefje kijkt Ruutje en Bennie hoofdschuddend aan. 'Dat klopt,' zegt ze. 'Dat halen jullie nooit. Maar als je alles zo duur maakt, verkopen jullie niks. En dan halen jullie het helemáál nooit.'

'Ja, maar één euro,' zegt Ruutje.

'Beter dan niks.' Eefje pakt het potlood en gaat alle prijzen veranderen. Bennie zit er beteuterd naar te kijken. Hij wil kwaad worden, maar net als hij wat wil zeggen, komt er iemand die drie grammofoonplaten wil kopen, voor een euro per stuk. En daar is de man met het witte haar en de witte snor, waar ze aan de deur zijn geweest met hun spaarkippen.

'Hebben jullie al genoeg geld voor dat schilderij?' vraagt hij.

'Nog niet.' Ruutje schudt zijn hoofd. 'We zijn nog maar net begonnen.'

'Ik zal je helpen,' zegt de man. 'Ik koop een boek.'

Hij koopt een boek voor één euro vijftig. Bennie houdt zijn mond. Het ziet ernaar uit dat Eefje gelijk heeft. Nu verkopen ze opeens veel meer. Als papa en mama aan de overkant het plein opkomen, hebben ze al aardig wat geld in hun blikje liggen.

Een man bij de deken bukt zich en pakt het tasje dat Bennie uit de schuur heeft meegenomen.

'Vijftig cent is wel wat veel voor zo'n oud tasje,' zegt hij.

'Het is voor een goed doel,' zegt Eefje.

'O ja?' De man kijkt haar aan. 'Wat voor doel? Je eigen portemonnee zeker.'

'Toe, meneer,' zegt Eefje. 'Wat kan u die vijftig cent schelen. Het is wel een oud tasje, maar het is nog helemaal heel.'

Dan lacht de man en hij haalt vijftig cent uit zijn broekzak. 'Hier,' zegt hij. 'En nu moet je gauw nog even een goed doel bedenken.' Hij loopt weg.

Papa en mama komen hem midden op het plein tegen.

'Hé, hé,' zegt papa opeens. 'Dat tasje.'

'Wat is daarmee?' De man kijkt hem verbaasd aan.

'Dat is *mijn* tasje.'

'Ik dacht het niet,' zegt de man.

'Ik dacht het anders wel,' zegt papa.

'Dat tasje heb ik net gekocht.' De man wijst naar de plek waar Ruutje, Bennie en Eefje zitten. 'Bij die kinderen daar.'

'Ja, hoor!' Papa wil het tasje uit de hand van de man rukken. 'Voor hoeveel?'

'Vijftig cent,' zegt de man. 'Blijf af!'

'Vijftig cent!' Papa ontploft bijna. 'Vijftig cent voor een verrekijker?'

'Wat nou verrekijker,' zegt de man boos. 'Het is gewoon een oud tasje.'

'Maar daar zit een verrekijker in!'

'Krijg nou wat.' De man weegt het tasje op zijn hand. 'Ik dacht ook al, wat een zwaar tasje.'

'Ja ja,' zegt papa. 'Net doen of je niks merkt, hè? Die kinderen belazeren voor vijftig cent, hè?'

'Anton, toe,' zegt mama. 'Dat had die meneer helemaal niet in de gaten.'

'Zo is het!' zegt de man kwaad. 'Wilt u wel een beetje op uw woorden passen?'

Het wordt een heel oploopje, midden op het plein. Verschillende vaders en moeders blijven staan en ook de directeur komt zich ermee bemoeien.

Ruutje ziet het van een afstand gebeuren.

'Kijk,' zegt hij. 'Daar zijn papa en mama ook. Leuk.'

'Hier zitten we!' roept Bennie, zo hard als hij kan. Hij zwaait.

Papa komt met grote stappen op hem af.

'Zijn jullie nou helemaal niet goed snik geworden!' zegt hij. 'Mijn verrekijker een beetje zitten verkopen?'

'Hè?' Daar snapt Bennie niets van. 'Verrekijker?'
'In dat tasje,' zegt papa.
'Dat ta... o, dát tasje.'
'Waar heb je dat vandaan?'
'Dat lag in de schuur,' zegt Bennie. 'Achter op je fiets.'
'Daar zit mijn verrekijker in.' Papa wijst naar de man, die in-
middels met het tasje in zijn hand naast hem is komen staan.
'Dat wisten we niet,' zegt Ruutje. 'We hadden haast.'
Iedereen kijkt naar de twee roodharige jongetjes, naast elkaar
op de deken.
'Kijk ze nou zitten,' zegt de directeur. 'Eén en één is twee.' Hij
kan bijna zijn lachen niet inhouden.
'Je moet je spullen niet zo laten slingeren, Anton,' zegt mama.
'Nou wordt-ie fraai.' Papa weet niet of hij moet lachen of
kwaad moet blijven. 'Nou heb ík het nog gedaan.'
'U kunt uw verrekijker wel terugkopen,' zegt de man. 'Voor
één euro.'

'Maar u hebt hem zelf voor vijftig cent gekocht,' zegt papa. 'Het wordt steeds gekker.'

'Tja.' De man haalt zijn schouders op. 'Ik zeg maar zo: handel is handel.'

Zuchtend pakt papa zijn portemonnee en betaalt de man één euro.

'Alstublieft,' zegt de man. Hij geeft het tasje aan papa en gooit de euro op de deken. 'En dat is voor het goede doel. Wat dat dan ook is.' Hij loopt hoofdschuddend en lachend door.

'Het goede doel?' vraagt papa. Maar Ruutje en Bennie horen het niet. Er zijn opeens een heleboel mensen die iets van hen willen kopen. Samen met Eefje komen ze handen tekort.

Als de vrijmarkt bijna is afgelopen, komt de man met het witte haar nog een keer langs. Hij heeft een groot plat pak bij zich, met krantenpapier eromheen.

'Ik heb iets te koop voor jullie,' zegt hij. 'Ik ben wel geen kind van de school, maar toch.'

Ze kijken de man nieuwsgierig aan. Hij houdt het pak omhoog. 'Wat denk je?' zegt hij. 'Wat zou hierin zitten?'

'Een schoolbord?' vraagt Ruutje.

Eefje schiet in de lach.

'Mis,' zegt de man. 'Nog eens.'

Ruutje denkt na. 'Een schaakbord,' zegt hij dan. 'Of een spiegel.'

'Ja, of een tafel zonder poten, gek,' zegt Bennie. 'Ik weet het.'

'Wat dan?' Ruutje geeft het op.

'Een prikbord,' zegt Bennie.

'Hou op.' Eefje ligt op haar zij van het lachen.

'Weet jij het dan?' vraagt Ruutje.

'Natuurlijk,' hijgt Eefje. 'Het is een schilderij.'

'Precies,' zegt de man. Hij moet ook lachen. 'Jullie kunnen het van me kopen, als schoolcadeau. Bij mij staat het toch maar op zolder.' Hij haalt voorzichtig het krantenpapier weg, en Ruutje en Bennie houden hun adem in.

Ze zien een schilderij van een zeilschip op volle zee. Het stormt, en de golven zijn hoog en woest. Het is in felle kleuren geschilderd. De lucht is knalblauw en het schip is bruin, met rode zeilen. De golven zijn grauwgroen en zwart.

'Tjonge,' zegt Bennie. 'Wat mooi.'

'Het is net echt.' Ruutje wordt al zeeziek als hij ernaar kijkt.

'Wat kost het?' vraagt Eefje. Ze wordt een beetje draaierig van al die kleuren.

'Als je me één euro vijftig geeft, is het voor jullie,' zegt de man. 'Dan heb ik mijn boek er weer uit.'

Ze kunnen het bijna niet geloven, zo'n prachtig schilderij. Zonder iets te zeggen, kijken ze naar het zeilschip, midden tussen de schuimende golven.

'Nou?' vraagt de man. 'Willen jullie het kopen?'

Natuurlijk willen ze het kopen. Eefje pakt één euro vijftig uit het blikje en geeft het aan de man.

'Wat hebben jullie daar?' Eelco komt eraan.

'Vlug,' zegt Bennie. 'Papier eromheen. Hij mag het niet zien. Anders is het geen verrassing meer.' Samen met Ruutje wikkelt hij snel en slordig het krantenpapier weer om het schilderij.

'Het is niks,' zegt Ruutje. 'Niks bijzonders.'

'Wie is dat?' Eelco wijst op Eefje.

'Dat is Eefje,' zegt Bennie. 'Onze vriendin.'

'En in dit pak zit een tafel zonder poten,' zegt Ruutje.

'Leuk, hoor,' zegt Eelco. 'Echt een leuk grapje.' Hij loopt boos weg en Eefje zit weer krom van het lachen.

'We moeten het meenemen naar huis,' zegt Bennie. 'En dan nemen we het vanavond mee. Om het te geven.'

'Ja, leuk,' zegt Ruutje. 'Bij het circus.'

'Circus?' vraagt de man met het witte haar.

'Dat is vanavond,' zegt Ruutje. 'In de gymzaal. Ik ben een paard, de achterste helft dan.'

'Dat lijkt me leuk.' De man wordt helemaal enthousiast. 'Mag ik daar ook naartoe?'

'Ja, hoor,' zegt Bennie. 'Dan zegt u gewoon dat u onze oom bent. "De oom van Ruutje en Bennie," moet u zeggen. Dan mag u erin.'

'Zegt u maar "oom Dolf",' zegt Ruutje.

'We hebben al een oom Dolf.' Bennie schudt zijn hoofd.

'En dan hebben we er nu twee,' zegt Ruutje.

Als ze thuis zijn, laten ze het schilderij zien. Papa en mama kijken hun ogen uit.

'Hebben jullie dat zelf verdiend?' zegt mama.

Ruutje en Bennie knikken trots.

'Voor de school,' zegt Ruutje.

'Allemachtig, wat een kleuren,' zegt papa. 'Pak maar gauw weer in, ik heb een beetje hoofdpijn.'

Ruutje en Bennie doen het papier eromheen en zetten het schilderij zolang tegen de muur.

'Daar zal de directeur van opkijken,' zegt papa. 'En waar moet hij dat ophangen?'

'In de hal,' zegt Bennie. 'Dat alle mensen het kunnen zien als ze binnenkomen.'

'Goed idee.' Papa knikt enthousiast. 'Dan zijn ze meteen goed wakker 's morgens.'

De circusvoorstelling

In de gymzaal is van rood en wit gestreept doek een tent gemaakt die aan één kant open is. Daar is de piste. Aan de tent hangt een prachtig zwart bord met gouden letters. *Parmant* staat er. Dat is de naam van het circus.

De zaal is bijna vol. Er staan banken en stoelen in een grote halve cirkel opgesteld. De hele gymzaal staat vol. Bijna alle plaatsen zijn bezet als de laatste bezoekers binnenkomen. Allemaal toeschouwers voor de grote voorstelling. De man van het schilderij is er ook. Hij zit op de achterste rij.

Groep vier zit in de zaal, op de grond. Ze zijn nog niet aan de beurt. Straks moeten ze zich achter het podium eerst als dier verkleden. En dan zullen ze eens iets laten zien.

Bennie kijkt opzij. Een eindje verderop zitten papa en mama met Eefje. Ze waren goed op tijd en ze zitten helemaal vooraan. Hij zwaait en ze zwaaien alle drie terug. Ruutje kijkt en zwaait ook, en Janice en Jin Li en Eelco, allemaal naar hun vader en moeder. Op het laatst staat iedereen te zwaaien en zo'n beetje de hele zaal zwaait terug. Het is een vrolijk begin van het feest.

Het licht in de zaal gaat uit en de mensen houden op met praten. Het wordt stil. Dan klinkt er muziek. Trompetten en tromgeroffel. En in het licht van een schijnwerper komt de directeur de piste in. Hij ziet er prachtig uit. Een rode jas met goudkleurige versieringen. Een hoge hoed en zwarte rijlaarzen. Het applaus barst los.

'Hooggeëerd publiek!' De directeur maakt een buiging. 'Welkom bij circus Parmant, het circus van De Ingang.'

Zo heet de school: De Ingang. Ruutje en Bennie hebben dat altijd wel een rare naam gevonden. Ze gaan altijd door dezelfde deur naar binnen als naar buiten. Dus de school had net zo goed De Uitgang kunnen heten. Maar volgens de juf is dat geen goede naam voor een school.

'Vanavond is de afsluiting van ons feest,' zegt de directeur. 'Het eind van een fantastische week.' Iedereen juicht en klapt en de directeur buigt weer.

'Maar voordat het circus begint, wil ik eerst iemand hier bij me hebben,' kondigt de directeur aan. Het wordt stil. Wat zou er zijn? Wie moet er komen?

'Ik wil iemand uit groep vier hier hebben,' zegt de directeur. 'Namelijk Bennie van Barrelenstein.' Ze kijken allemaal verbaasd naar Bennie. Wat is er nu weer met hem? Bennie begrijpt het zelf ook niet. Maar de directeur lacht, dus het zal wel niets ergs zijn. Bennie staat op, schuift zijn rij uit en gaat naar de piste.

'Ben jij Bennie?' vraagt de directeur.

Bennie knikt.

'Ja, ik vraag het maar,' zegt de directeur. 'Je weet het nooit. Waarom sta je hier, denk je?'

Bennie haalt zijn schouders op. Hij weet het niet.

'Kijk dan maar eens goed.' De directeur wijst naar de deur achter in de zaal. Die gaat open en meester Co komt te voorschijn. Op de fiets! Hij rijdt langs de zijkant van de zaal naar voren en stopt in de piste.

'Wat heb je daar, Co?' vraagt de directeur.

'Mijn fiets,' zegt meester Co.

'En waar komt die vandaan?'

'Die was uit ons fietsenhok gestolen.' Meester Co blijft op zijn fiets zitten, met één voet op de grond. 'En nu stond hij met een heleboel andere gestolen fietsen in een loods van een bende fietsendieven,' zegt hij. 'De politie heeft vanmiddag een inval gedaan.' Hij vertelt het verhaal van de diefstal aan de mensen in de zaal. Dat Bennie de dief had gezien, en bij de vossenjacht nog een keer. En dat hijzelf het nummer van het busje van de dief had opgeschreven en aan de politie had gegeven.

Het was dus toch de dief, die ze op straat hadden zien lopen.

'En hier staat de man die de diefstal heeft opgelost,' zegt de directeur. Hij legt een hand op Bennies schouder.

Bennie kijkt verlegen de zaal in. Hij voelt zich raar. Hij is er wel trots op dat hij een held is, maar hij vindt het eng dat alle mensen zo naar hem kijken. Hij weet niet wat hij moet zeggen en waar hij zijn handen moet laten. Hij stopt ze maar in zijn zakken.

Maar daar moet hij ze snel weer uithalen, want meester Co heeft een pakje voor hem.

'Alsjeblieft,' zegt meester Co. 'En bedankt voor je hulp. Ik ben helemaal gelukkig dat ik hem weer terug heb.' Hij strijkt bijna verliefd met zijn hand over het stuur van zijn groene fiets.

Bennie maakt het pakje open. Er zit een prachtige, glimmende fietsbel in. Een ding-dongbel.

Hij houdt hem omhoog.

'Voor op mijn step,' zegt hij.

Alle mensen klappen in hun handen en juichen hem toe.

'Buigen,' zegt de directeur.

Bennie maakt een buiging en dan gaat hij weer naar zijn plaats. Hij glimt van trots en geeft de bel aan papa. Die moet hem maar even bewaren, want Bennie moet nog optreden.

Om te beginnen komen er allemaal clowntjes van groep een en twee in de piste. Ze zijn prachtig geschminkt. Ze hebben een ronde rode neus, grote flappen aan hun schoenen, en een grote zelfgemaakte clownsstrik voor. Zelf gemaakt. Ze gaan eerst allemaal gekke gezichten trekken en tegen elkaar opbotsen. En naar hun vader en moeder zwaaien natuurlijk. Er klinkt vrolijke muziek bij.

En aan het eind van hun nummer zingen ze een clownsliedje:

Wij zijn de clowntjes,
Wij zijn de clowntjes,
Onze schoenen zijn heel groot,
Wij zijn de clowntjes,
De gekke clowntjes.
Onze neuzen zijn knalrood.

De mensen in de zaal klappen allemaal mee. Het is een geweldig begin van het circusfeest.
'Ik had ook wel clown willen zijn,' zegt Bennie tegen Ruutje.
'Jij?'
'Ze zijn bijna allemaal hetzelfde,' zegt Ruutje. 'Dan hadden ze ons nooit uit elkaar kunnen houden.'
Hij wordt zenuwachtig. Ze zijn nog lang niet aan de beurt. De dieren komen zo'n beetje aan het eind. Als het maar goed gaat straks. Als Henkie maar niet valt.
Maar hij heeft geen tijd om zich zorgen te maken. Er komen acrobaten in de piste. Ze dragen witte gymbroeken en witte T-shirts. Het zijn kinderen uit groep zeven. Ze leggen vliegensvlug een paar valmatten neer en dan gaan ze hun kunsten vertonen. De kinderen van groep vier zitten met open mond te kijken, en zij zijn niet de enigen. De koprollen, handstanden en radslagen vliegen door de piste.
'Man,' zegt Henkie, 'wat ben ík blij dat wij dat niet hoeven te doen.'
Juf Paula doet zelf ook mee. Ze kan wel tien meter op haar handen lopen. De mensen in de zaal zijn razend enthousiast.
'Kijk, die kleine,' zegt de vader van Ruutje en Bennie. 'Die kan er wat van. Ik wou dat ik vroeger zo'n juf had gehad.'
Er klinkt tromgeroffel. Dat betekent dat er een heel moeilijke kunst komt.

Juf Paula doet een stap naar voren. 'En dan nu...de piramide!' zegt ze.

De zaal houdt zijn adem in. Ook Ruutje en Bennie kijken gespannen toe. Ze weten niet precies wat juf Paula bedoelt, maar ze voelen dat het heel spannend wordt.

Drie grote jongens gaan in een kringetje staan en houden elkaar stevig bij de schouders vast. Dan komen er twee kleinere kinderen, een jongen en een meisje, die bij de anderen op de schouders klimmen. Ze wankelen even, maar dan staan ze weer stil. Het tromgeroffel klinkt luider en luider, en dan komt het kleinste meisje van de klas naar voren.

'Aafje,' zegt Merel zacht. Aafje is haar grote zus. Nou ja, groot...

Iedereen kijkt met grote ogen naar de piste. Aafje klimt met gemak over de ruggen van de anderen naar boven. Even later staat ze driehoog. Ze doet haar ene hand achter haar hoofd en haalt een stuk karton achter uit haar T-shirt. Ze houdt het omhoog. Er staat iets op. De toeschouwers lezen het bord. *MAK-KIE* staat erop, met grote letters.

Het applaus barst los. De piramide blijft nog even staan en dan klimt Aafje weer omlaag. Bij het laatste sprongetje wordt ze door juf Paula opgevangen. De anderen springen ook en dan staat iedereen weer met zijn beide voeten op de grond.

De zaal juicht en joelt.

'Tjonge.' Ruutje zucht. 'Ik zweet ervan.'

'Dat zou ik ook wel durven,' zegt Bennie. 'Jij?'

'Ja, gekke Gerrit.' Ruutje schudt hevig zijn hoofd. 'En dan doodvallen zeker.'

De acrobaten zijn klaar en de juf gebaart dat de kinderen van groep vier moeten meekomen. Groep acht gaat kunsten vertonen, maar zij moeten zich gaan verkleden. Ze zijn bijna aan de beurt.

Ze stommelen achter elkaar tussen de anderen door. Ruutje

kijkt nog even naar Eefje, die tussen papa en mama in zit. Ze zwaait.

'Succes, hoor!' roept papa. 'Maak er wat moois van.'

In de kleedkamer doen ze allemaal hun dierenpak aan en hun maskers voor. De juf komt even later uit de andere kleedkamer en Ruutje staat opeens stokstijf stil. Ze is nog veel mooier dan anders. Een strakke, zwarte broek en een rood jasje met flappen aan de achterkant. En ze heeft een zwarte hoge hoed op haar blonde krullen. Ruutje heeft een raar gevoel in zijn maag. Met open mond staat hij haar aan te kijken.

De juf ziet het. 'Hup,' zegt ze. 'In je paard.' Ze lacht. Het is de mooiste lach die Ruutje ooit gezien heeft.

Bennie is al snel klaar. Hij hoeft alleen maar een jasje aan te doen en zijn hoed op te zetten. Hij heeft ook een hoge hoed. De juf heeft hem zelf gemaakt, van zwart karton. Met zijn zweep in zijn hand kijkt hij om de hoek van de deur de zaal in.

Groep acht is in de piste. Zij doen ook al zoiets bijzonders. Er zijn twee meisjes die op eenwielers rondfietsen en een paar andere kinderen jongleren met ringen en knotsen. Er valt er wel eens een, maar dat geeft niet.

En dan komt Peer op. Hij heeft een tijgervel om zijn blote bast. Hij is de sterke man en gaat gewichtheffen. Aan weerszijden van een stang zitten zwarte gewichten. Op elk gewicht staat 100 KG. De trom roffelt en Peer bukt zich. Het wordt weer doodstil. Peer spant zijn spieren en met alle kracht die hij heeft, tilt hij de tweehonderd kilo op. Eerst tot aan zijn borst, hij wacht even, en dan ook nog boven zijn hoofd.

Bennie weet niet wat hij ziet. En die heeft hij een schop onder zijn kont gegeven! Daar is hij nog genadig van afgekomen.

Peer heeft de gewichten weer laten zakken. Hij laat zijn spierballen nog even zien en loopt dan weg. Van de andere kant komt Fikria aanlopen. Ze is klein en smal, met dunne armen. In het voorbijgaan pakt ze de stang van de gewichten vast en tilt het hele spulletje met één hand op. Dan loopt ze door. De mensen in de zaal barsten in lachen uit. En dan snapt Bennie het: die gewichten zijn niet echt. Ze zijn van karton. Het is een leuke stunt.

En dan is groep vier aan de beurt. Eerst stapt de directeur de piste in.

'Hooggeëerd publiek,' zegt hij. 'Uit de verre woestijnen van Azië, de oerwouden van Afrika, de prairie van Amerika en de weilanden van Friesland komen de dieren die nu hun kunsten gaan vertonen. En dat doen zij onder leiding van onze eigen dierentemmer: juf Annemiek!'

De mensen klappen als de juf met Bennie binnenkomt, allebei met hun hoge hoed op. En achter hen aan komen de eerste dieren. Voorop de tijger, dan de Chinese vogel, de leeuw, de ijsbeer en de panter. Er is een hond, een aap en een konijn. Het huppelende paard komt achteraan.

'Allé, hóp!' De juf zwaait met haar zweep en de dieren beginnen aan hun eerste rondje, op de tonen van de circusmuziek.
'Leuk, hè,' zegt de moeder van Merel tegen haar man.
'Erg leuk,' zegt hij. 'Wie is eigenlijk dat konijntje, dat daar zo stilletjes in de hoek zit?'
Het konijntje loopt niet mee in de kring. Maar ze kan haar oren bewegen. Echt niet makkelijk.
Na het rondje doen de dieren hun kunstje. De panter gaat een handstand doen. Het lukt al bij de derde keer. De ijsbeer jongleert met sneeuwballen.
Bennie houdt een hoepel omhoog.
'Hóppáál!' roept hij, en de hond springt door de hoepel. Eerst heen en dan weer terug. De mensen klappen weer en Bennie buigt. Net alsof *hij* door de hoepel is gesprongen. Nu vindt hij het niet eng dat de mensen naar hem kijken. Als dierentemmer lijkt het net of hij iemand anders is.
Als Jin Li haar Chinese vogeltjesdans doet, wordt het helemaal stil in de zaal. De Chinese muziek is prachtig en de mensen denken heel even dat ze aan de andere kant van de wereld zijn.
'En dan nu... de truc van het paard!' roept de juf.
Alle dieren doen een stapje terug en Bennie zet een bankje in het midden van de piste. Het paard neemt een aanloop. Het hinnikt, aan de voorkant en aan de achterkant. Maar net voor de sprong zal plaatsvinden, schrikt het paard. Het konijntje huppelt voor hem langs, want het moet opeens erg nodig naar de wc. Het paard komt scheef te staan.
'Ja, springen maar!' roept Bennie. 'Naar links!'
Henkie begint met zijn aanloop. Hij gaat naar links en Ruutje ook. Dat denkt hij tenminste Hij is altijd in de war met links en rechts. Het paardenhoofd gaat naar links en zijn achterkant naar rechts. Ruutje ziet niets, omdat de paardendeken over zijn hoofd zit. Hij steekt zijn handen vooruit, om te voelen waar Henkie is gebleven.

'Henkie!' roept hij. 'Waar ben je?'
Ruutje loopt zoekend rond en komt zo bij de rand van de piste.
Hij struikelt over de onderkant van zijn deken en valt het publiek
in. En dan zit Eefje opeens met de achterkant van een paard op
schoot. Er komt een rood hoofd onder de deken vandaan.
'Hé, die Ruutje,' zegt Eefje. 'Ben jij er ook?'

Het is het allermooiste circus dat de mensen ooit hebben gezien. Iedereen heeft een fantastische avond.
Helemaal aan het eind van de voorstelling komt de juf van
Ruutje en Bennie nog een keer de piste in. Ze heeft haar hoge
hoed weer op.
'Er is nog een verrassing,' zegt ze. 'Daar weet zelfs de directeur
niets van.'
De directeur kijkt verbaasd. Hij weet het echt niet. Wat zou het
zijn?
'Ik vraag uw speciale aandacht voor Ruutje en Bennie van Barrelenstein!' zegt de juf. Er klinkt trompetmuziek en dan
komen Ruutje en Bennie vanachter het tentdoek. Ze dragen
samen een groot, plat pak, met krantenpapier eromheen. De
juf is de enige aan wie ze hun geheim hebben verteld, want ze
moesten natuurlijk wel aangekondigd worden.
'Wat gaan ze nou doen?' vraagt Merel. 'Wat zit er in dat pak?'
'Een tafel zonder poten,' zegt Eelco. Hij wijst naar zijn voorhoofd. Hij is nog steeds een beetje boos dat Ruutje en Bennie
het hem niet wilden vertellen.
Het wordt stil in de zaal.
'De school is jarig,' zegt Ruutje. Hij is opeens zenuwachtig.
'En als je jarig bent, krijg je een cadeau,' vult Bennie aan. 'Hier
is het.'
'Een cadeau?' De directeur komt naar voren. 'Van jullie?'
'Zelf verdiend,' zegt Bennie. 'Met de markt.' Ruutje knikt. Hij
kan van de zenuwen niets meer zeggen.

De directeur weet niet wat hem overkomt. Hij pakt het cadeau aan en haalt het papier eraf.

'Een schilderij,' zegt hij. 'Tjonge.' Hij houdt het omhoog. De zaal houdt zijn adem in.

'Heb jij aspirientjes bij je?' vraagt de vader van Ruutje en Bennie. 'Mijn hoofdpijn komt weer opzetten.'

'Het is niet te geloven,' zegt de directeur. 'Wat een schilderij.' De juf houdt haar hand voor haar mond, want ze moet opeens hoesten.

'U moet het in de hal ophangen,' zegt Bennie. 'Dan kunnen we het allemaal goed zien.'

'Daar gaan we rustig over nadenken.' De directeur geeft Ruutje en Bennie een hand. 'Dank jullie wel.'

'Alstublieft,' zegt Bennie.

'Sblft... che.' Ruutje kucht.

En dan zet de juf haar hoge hoed af. Ze geeft Bennie een kus op zijn wang, en daarna Ruutje.

Ruutje voelt haar krullen langs zijn gezicht zwieren. Hij valt bijna om van verliefdheid.

'Het was erg leuk,' zegt Eefje, als ze na de voorstelling naar huis lopen. 'Ik heb in tijden niet zo'n lollige avond gehad.'
'Hoe vond je mij, als dierentemmer?' vraagt Bennie.
'Tof,' zegt Eefje. 'Met die hoge hoed. Net echt.'
Er lopen meer mensen op straat die op weg zijn naar huis. Vaders en moeders van school.
'Hé, Ruutje,' zegt de vader van Henkie, 'je rechterhand is de hand waar je duim links zit. Onthouden, hoor.'
Ruutje lacht maar zo'n beetje. Dat van dat paard wil hij zo snel mogelijk vergeten. Maar zijn wang gaat hij voorlopig nooit meer wassen!